La vida diaria en los tiempos bíblicos

Editores:

James I. Packer
Licenciado en Humanidades y Doctor en Filosofía,
COLEGIO UNIVERSITARIO REGENT

Merrill C. Tenney
Licenciado en Humanidades y Doctor en Filosofía
ESCUELA DE WHEATON PARA ESTUDIANTES GRADUADOS

William White, Jr.
Licenciado en Teología y Doctor en Filosofía

Traducción al castellano: Francisco Liévano

EDITORIAL VIDA es un ministerio misionero internacional cuyo propósito es proporcionar los recursos para evangelizar con las buenas nuevas de Jesucristo, hacer discípulos y preparar para el ministerio al mayor número de personas en el menor tiempo posible.

ISBN 0-8297-1417-0

Categoría: Historia bíblica

Este libro fue publicado en inglés con el título
Daily Life in Bible Times por
Thomas Nelson, Inc., Publishers

© 1982 por Thomas Nelson Inc., Publishers

Edición en idioma español
© 1985 EDITORIAL VIDA
Deerfield, Florida 33442-8134

Cuarta impresión, 1994

Introducción

a vida diaria en los tiempos bíblicos presenta los resultados de las más recientes investigaciones bíblicas y arqueológicas relacionadas con la vida diaria y las prácticas de los pueblos de la Biblia. Las leyes, las costumbres y los hábitos de los tiempos bíblicos eran muy diferentes a los de nuestros días. Cuando podamos entender estas diferencias, obtendremos un cuadro mucho más claro de muchos de los sucesos que recoge la Biblia.

La vida familiar que se describe en las Escrituras es muy distinta a la nuestra. En la sociedad, las mujeres y los niños ocupaban un lugar diferente al que ocupan en nuestra época. Además, en los tiempos bíblicos, las mujeres de Israel disfrutaban de una situación mucho más favorable que las mujeres de las culturas vecinas. El alto concepto en que los hebreos tenían el matrimonio, era único en aquel tiempo, aunque había una tensión constante entre los ideales de Israel y las corrompidas prácticas de los pueblos entre los cuales vivían. Los hijos eran bien recibidos en la familia, y hay una serie de casos en las Escrituras en que se refleja el amor de la familia hacia ellos. Otro elemento de la vida familiar que era muy diferente en aquellos tiempos era el alto grado de respeto que se les tributaba a los ancianos.

La vida diaria en los tiempos bíblicos se refiere a muchas otras cosas, además de la vida familiar. También se estudia lo relacionado con la enfermedad y la sanidad, con el alimento y los hábitos de alimentación, con la ropa y la manera de vestir. La forma de este estudio está diseñada para ayudar al lector de la Biblia a representarse mentalmente las prácticas de los tiempos bíblicos.

En comparación con la arquitectura de los romanos y de los griegos, la de los hebreos era muy sencilla. En los primeros tiempos, el pueblo vivía en grandes tiendas de campaña. Sólo cuando Israel se asentó de forma más permanente, se construyeron casas. Fue entonces cuando se hizo obvia la diferencia entre los ricos y los pobres. La música también era sencilla en Israel, aunque con el curso del tiempo se introdujeron instrumentos provenientes de los pueblos que rodeaban a la nación. Además, a David se le atribuye el haber inventado varios instrumentos musicales. Muchos de estos instrumentos se usaban en la adoración.

El culto de Israel se caracterizaba por la reverencia y la acción de gracias; la esperanza y la gratitud. Aunque Israel no fue siempre fiel en este culto, experimentó realmente las bendiciones prometidas por Dios. Esta confiada esperanza era la que producía un gozo tan exuberante en sus celebraciones.

La vida diaria en los tiempos bíblicos es una guía para entender las leyes, los usos y las costumbres del período bíblico. Aconsejamos al estudioso de la Biblia que lea este libro a fin de descubrir el significado de tales prácticas, tanto en la vida de Israel, como en la vida de hoy.

Indice

1
Las relaciones familiares

ay dos hechos que se destacan en lo que la Biblia dice acerca de la familia y sus relaciones. En primer lugar, el papel de cada uno de los miembros de la familia permaneció casi invariable a través de todo el período bíblico. Los cambios de cultura y de leyes no afectaron a las costumbres familiares de manera notable. Los pueblos que vivían en los primeros tiempos del período del Antiguo Testamento eran casi nómadas — se mudaban frecuentemente de una parte a otra —, lo cual motivó que sus hábitos, en diversos aspectos, fueran distintos a los que tenían los pueblos sedentarios. La ley mosaica abolió algunas de las prácticas nómadas, tales como la del matrimonio entre hermanos. No obstante, la mayor parte del estilo de vida que tenía la familia originalmente, persistió hasta la época del Nuevo Testamento.

En segundo lugar, la vida familiar de los tiempos bíblicos refleja una cultura muy diferente a la nuestra. Cuando acudamos a las Escrituras en busca de orientación para edificar nuestra propia familia, debemos reconocer esta diferencia. Debemos tratar de hallar los principios bíblicos, en vez de copiar directamente los estilos concretos de actuación que la Biblia describe. Estos estilos de vida estaban diseñados para pequeñas comunidades agrícolas, y no siempre eran agradables a Dios.

Por ejemplo, la cultura de aquellos tiempos permitía que un hombre tuviera más de una esposa, y así sucedió con algunos hombres de Dios. Sin embargo, las Escrituras no afirman en ninguna parte que Dios haya aprobado esta práctica. La clasificamos como una costumbre social tolerada, pero no como una costumbre prescrita por la Biblia.

Otro ejemplo. Cuando Abraham estuvo en Egipto con Sara, le pidió que dijera que era hermana de él. Tenía temor de que los egipcios lo mataran a causa de la gran belleza de su esposa. De hecho, eran medio hermanos. Posteriormente, Dios especificó que este grado de parentesco era demasiado cercano y que, por tanto, entre los casados no debía haber tal cercanía (vea Génesis 20:12; Levítico 18:9). Como resultado de esto, el faraón se llevó a Sara a su casa, y Dios castigó a la familia del faraón con plagas, a fin de rescatarla.

En las enseñanzas bíblicas con respecto a la vida familiar hay instrucciones para los hijos, para las madres y para los padres. Veremos ejemplos de familias que siguieron los deseos de Dios y fueron grandemente bendecidas; también veremos familias que desobedecieron a Dios y cosecharon las consecuencias. Mientras avancemos, notaremos cómo cambió la vida familiar en el transcurso de la historia de Israel.

La unidad familiar

La familia fue la primera estructura social que Dios produjo. El fue quien formó la primera familia al unir a Adán y Eva como marido y mujer (Génesis 2:18-24). La unión entre el hombre y la mujer se convirtió en el núcleo de la unidad familiar.

¿Por qué creó Dios la estructura familiar? Se nos dice en Génesis 2:18 que Dios creó a la mujer como una ayuda para Adán, lo que indica que el hombre y la mujer fueron unidos, en primer lugar, para que se acompañaran mutuamente. La esposa debía ayudar a su esposo, y el esposo debía cuidar a su esposa. Luego, ambos debían satisfacer las necesidades de los hijos que les vendrían como resultado de su relación.

A. El esposo. El término hebreo que se traduce *esposo, marido,* en parte significa *dominar, gobernar.* También se puede traducir mediante la palabra *señor.* En su condición de cabeza de la familia, el esposo era responsable del bienestar de todos. Por ejemplo, cuando Abraham y Sara engañaron al faraón con respecto a su verdadera relación, aquel gobernante se enfrentó con Abraham, y no con Sara, que era la que realmente había mentido (Génesis 12:17-20). Esto no significa que el marido hebreo fuera un tirano a quien le agradara mandar a su familia. Más bien asumía con amor su responsabilidad por la familia y buscaba la manera de satisfacer las necesidades de los que estuvieran bajo su autoridad.

Toda pareja hebrea se casaba con la idea de tener hijos. Especialmente anhelaban tener un hijo varón. El hombre que tuviera la fortuna de tener un hijo se sentía realmente orgulloso. Jeremías escribió que el hombre que le dio a su padre la noticia de que le había nacido un hijo varón, lo hizo "alegrarse así mucho" (Jeremías 20:15).

El padre judío asumía el liderazgo espiritual dentro de la familia; funcionaba como el sacerdote de la familia (vea Génesis 12:8; Job 1:5).

Se esperaba de él que dirigiera a su familia en la observancia de los diversos ritos religiosos, tales como la pascua (Exodo 12:3).

Junto con su esposa, el padre debía instruir "al niño en su camino. . ." (Proverbios 22:6). El padre también tenía que transmitirles a sus hijos toda la ley escrita. Esta era la amonestación que se le hacía: "Y estas palabras que yo te mando hoy, estarán sobre tu corazón; y las repetirás a tus hijos, y hablarás de ellas estando en tu casa, y andando por el camino, y al acostarte, y cuando te levantes. Y las atarás como una señal en tu mano, y estarán como frontales entre tus ojos; y las escribirás en los postes de tu casa, y en tus puertas" (Deuteronomio 6:6-9).

Se distinguen en ella el hornillo de cocinar (hacia la izquierda del centro) y un cántaro con su cazo (frente). Un telar horizontal cuelga de una vara en el lado izquierdo. En lo que llamaríamos el comedor hay una esterilla circular con tazones. Hay jarras, cestas y tazones en los estantes, los bancos y el piso.

En la puerta de la ciudad. Las puertas de la ciudad eran centros de conversación y de comercio. A menudo recibían un nombre relacionado con lo que se vendía en ellas (por ejemplo, la puerta de las Ovejas, la puerta del Pescado). Por el hecho de que los ancianos hacían sus negocios con frecuencia en estas puertas, "sentarse a la puerta" significaba lograr cierta categoría social.

El padre tenía que infligir el castigo físico cuando fuera necesario. Esto debía hacerse de forma tal que "no se provocara a ira a los hijos, sino que se los criara en disciplina y amonestación del Señor" (vea Efesios 6:4).

En tiempos bíblicos, al hombre que no atendiera de forma adecuada a las necesidades de su familia se le consideraba culpable de un grave delito. La sociedad se apartaba de este tipo de hombre y se burlaba de él (vea Proverbios 6:6-11; 19:7). Pablo escribió: "Si alguno no provee para los suyos. . . ha negado la fe, y es peor que un incrédulo" (1 Timoteo 5:8).

En su condición de esposo y padre, el hombre defendía los derechos de la familia ante los jueces cuando fuera necesario (vea Deuteronomio 22:13-19). El huérfano y la viuda no tenían ningún hombre que defendiera sus derechos, por lo que eran a menudo víctimas de la injusticia (vea Deuteronomio 10:18).

El pueblo judío era gobernado por diversas tradiciones. El Talmud dice que el padre tenía cuatro responsabilidades para con su hijo, además de enseñarle la ley. Tenía que circuncidarlo (vea Génesis 17:12); si era el primogénito, y por tanto le pertenecía a Dios, tenía

que redimirlo (vea Números 18:15, 16); tenía que conseguirle una
esposa (vea Génesis 24:4); y tenía que enseñarle un oficio.

Los buenos padres pensaban que sus hijos eran seres humanos
completos, y se daban cuenta de sus sentimientos y capacidades. Un
erudito judío de aquellos tiempos dijo que un buen padre debía
"apartarlos con la mano izquierda y acercarlos con la derecha". Este
delicado equilibro entre la firmeza y el afecto caracteriza al padre
judío ideal.

B. La esposa. En el matrimonio, la mujer se sujetaba voluntariamente a su cónyuge. Su responsabilidad consistía en ser la "ayuda
idónea" de su esposo (Génesis 2:18). "Le da ella bien y no mal todos
los días de su vida" (Proverbios 31:12). La principal responsabilidad
de la esposa giraba en torno al hogar y a los hijos, pero algunas veces
se extendía hasta el mercado y otras esferas que afectaran el bienestar
de la familia (vea Proverbios 31:16, 25).

El principal objetivo de una esposa en la vida era darle hijos a su
esposo. El que le habló a Rebeca en nombre de su familia le dijo:
"Hermana nuestra, sé madre de millares de millares, y posean tus
descendientes la puerta de sus enemigos" (Génesis 24:60). La familia
judía esperaba que la esposa llegara a ser como una vid fructífera, que
llenara la casa con muchos hijos (Salmo 128:3). Por este motivo, la
madre recibía a su primer hijo con mucha felicidad y alivio.

Cuando los hijos comenzaban a llegar, la madre se iba atando cada
vez más al hogar. Amamantaba a cada uno de ellos hasta la edad de
dos o tres años, además de atender al resto de la familia en cuanto a
ropa y alimento. Cada día pasaba horas preparando las comidas y
haciendo ropa de lana. Cuando era necesario, ayudaba a su esposo en
el campo, ya fuera en la siembra o en la cosecha.

La madre compartía la responsabilidad de enseñar a sus hijos.
Estos pasaban los primeros años de su formación cerca de ella. Con el
correr del tiempo, los hijos varones llegaban a tener suficiente edad
para ir con su padre a los campos o a otros lugares de trabajo (vea
Proverbios 31:1-9). Era entonces cuando la madre dedicaba su
atención de manera más completa a sus hijas, y les enseñaba la
manera de llegar a tener éxito como esposas y madres.

El desempeño de una mujer en sus tareas determinaba el fracaso o
el éxito de su familia. Los hombres sabios decían: "La mujer virtuosa
es corona de su marido; mas la mala, como carcoma en sus huesos"
(Proverbios 12:4). Si la esposa trabajaba duro en la tarea que tenía
delante de ella, eso beneficiaba grandemente a su esposo. Los judíos
creían que un hombre sólo podía elevarse hasta ocupar un lugar entre
los líderes de Israel, si su esposa era sabia y talentosa (vea Proverbios
31:23).

C. Los hijos varones. En los tiempos bíblicos, cuando los padres llegaban a la vejez, los hijos varones tenían que sustentarlos; después debían darles sepultura adecuada. Por esta razón, la pareja por lo general esperaba tener muchos hijos. "Como saetas en mano del valiente, así son los hijos habidos en la juventud. Bienaventurado el hombre que llenó su aljaba de ellos; no será avergonzado cuando hablare con los enemigos en la puerta" (Salmo 127:4, 5).

El hijo primogénito ocupaba un lugar de honor muy especial dentro de la familia. Se esperaba de él que fuera el segundo jefe de la familia. Durante toda su vida se le exigía una mayor responsabilidad por sus acciones y por las de sus hermanos. Esta fue la razón por la que Rubén, como hermano mayor, se preocupó en gran manera por la vida de José cuando sus hermanos se habían puesto de acuerdo para matarlo (Génesis 37:21, 29).

Cuando moría el padre, el primogénito recibía una porción doble de la herencia que le quedara a la familia (Deuteronomio 21:17; 2 Crónicas 21:2, 3).

El quinto mandamiento amonesta: "Honra a tu padre y a tu madre, para que tus días se alarguen en la tierra que Jehová tu Dios te da" (Exodo 20:12). Ambos padres debían ser respetados por igual. Sin embargo, los rabinos del Talmud argumentaban que si alguna vez un hijo tenía que escoger, tendría que preferir a su padre. Por ejemplo, si los dos padres pedían simultáneamente un poco de agua, el Talmud enseñaba que tanto el hijo como la madre debían satisfacer las necesidades del padre.

Jesús fue el modelo perfecto de un hijo obediente. Lucas afirma que cuando Jesús tenía doce años de edad "descendió con ellos, y volvió a Nazaret, y estaba sujeto a ellos" (Lucas 2:51). Incluso mientras agonizaba en la cruz, pensó en su madre y en la responsabilidad que como primogénito tenía para con ella. Por eso le pidió a Juan que cuando El muriera se encargara de ella. Así cumplía con su deber de amor (Juan 19:27).

D. Las hijas. En los tiempos antiguos, las hijas no eran tan apreciadas como los varones. Algunos padres las consideraban como un verdadero estorbo. Por ejemplo, un padre escribe: "Una hija es para el padre un tesoro que hay que guardar, un cuidado que quita el sueño, de que en su juventud no sea violada y no sea aborrecida después de casada; en su doncellez no sea deshonrada y se vea encinta en la casa de su padre; que no sea infiel al marido, y bien casada sea estéril." (Eclesiástico 42:9, 10. Nota del Editor en castellano: el Eclesiástico es uno de los libros apócrifos o "deuterocanónicos".)

Las mujeres muelen el grano y hornean el pan. Los hebreos usaban piedras para moler el trigo y la cebada y convertirlos en harina. Amasaban la harina con levadura, aceite de oliva y agua o leche, hasta convertirla en una masa que luego estiraban para hornearla.

Sin embargo, los hebreos trataban a sus hijas de manera más humana que algunas de las culturas circundantes. Los romanos mismos exponían las niñas recién nacidas a los elementos, con la esperanza de que murieran. Los hebreos creían que toda vida, masculina o femenina, venía de Dios. Por esta razón, nunca pensaron en matar a sus hijos. De hecho, cuando el profeta Natán trató de describir la estrecha relación íntima de un padre con su hijo, describió a una *hija* en los brazos del padre, con la cabeza sobre el pecho de él (2 Samuel 12:3).

Las hijas primogénitas ocupaban un lugar especial de honor y deber dentro de la familia. Por ejemplo, la primogénita de Lot trató de persuadir a su hermana menor de que engendrara un hijo con Lot, a fin de preservar la familia (Génesis 19:31-38). En la historia de Labán y Jacob, se le dio precedencia a Lea, la primogénita, sobre su hermana menor (Génesis 29:26).

Si una familia no tenía hijos varones, las hijas podían heredar las posesiones de su padre (Números 27:5-8); pero sólo podían mantener su herencia si se casaban dentro de su propia tribu (Números 36:5-12).

La hija estaba bajo el dominio legal de su padre hasta que se casara.

El padre tomaba por ella todas las decisiones de importancia. Por ejemplo, decidía con quién debía casarla. No obstante, se le pedía a la hija que diera su consentimiento con respecto al esposo elegido, y algunas veces incluso se le permitía manifestar su preferencia (Génesis 24:58; 1 Samuel 18:20). Todos los votos de la hija, para que llegaran a ser obligatorios, tenían que ser aprobados por el padre (Números 30:1-5).

Una "mesa" judía. Las familias israelitas de los tiempos del Antiguo Testamento comían alrededor de una esterilla como esta, puesta sobre el piso, y sobre la cual se colocaba una simple vajilla de barro. Esta reconstrucción se halla en el Museo Ha-Aretz, de Tel Aviv.

La hija debía ayudar a su madre en el hogar. Desde muy temprana edad, comenzaba a aprender las diversas habilidades domésticas que necesitaba para llegar a ser una buena esposa y madre. Como a los doce años, la hija se había convertido ya en ama de casa por derecho propio y se le permitía casarse.

En algunas culturas del Medio Oriente, las familias no les permitían a sus hijas que salieran de la casa. Si aparecían en público, tenían que cubrirse la cara con un velo y no podían hablar con los hombres. Los israelitas no les ponían estas restricciones a sus hijas. Las jovencitas iban y venían con relativa libertad, siempre que realizaran su trabajo. Vemos ejemplos de esto en Rebeca, quien le habló a un extraño junto al pozo (Génesis 24:15-21), y las siete hijas del sacerdote de Madián, que conversaron con Moisés mientras le daban agua al rebaño de su padre (Exodo 2:16-22).

A las jóvenes de los tiempos bíblicos les preocupaba notablemente su apariencia. Creían que la piel clara era hermosa. Si el sol le quemaba la piel a una joven, se escondía de la vista del público (Cantares 1:6). Por esta razón, las mujeres trataban de realizar los trabajos que tenían que hacer al aire libre en las primeras horas de la mañana o al caer la tarde. Sin embargo, había ocasiones en que se obligaba a una mujer a salir a pleno sol de mediodía, como sucedió con la joven del Cantar de los Cantares. Esta acusó a sus hermanos de ponerla "a guardar las viñas", lo que significaba que se tenía que pasar la mayor parte del día a la intemperie (Cantares 1:6). La familia esperaba de sus hijas que se mantuvieran vírgenes hasta el matrimonio. Lamentablemente, no siempre sucedía así. Algunas jóvenes eran seducidas o violadas. Cuando esto ocurría, la ley mosaica distinguía cuidadosamente entre el castigo por la violación de una joven comprometida en matrimonio y el castigo por la violación de una que no lo estuviera.

Con frecuencia, las hijas se casaban a muy temprana edad. Los matrimonios a tan corta edad no creaban los problemas que crean hoy. Aunque la esposa salía del dominio de su padre, quedaba bajo el dominio de su esposo y de la familia de éste. Su suegra entraba en escena para continuar la orientación y la enseñanza que su propia madre le había estado dando. A menudo, la esposa y su suegra desarrollaban un vínculo profundo y duradero. Esto se halla perfectamente ilustrado en el libro de Rut, donde Noemí se refiere repetidamente a Rut con las palabras "hija mía". Miqueas describe a una familia llena de luchas como una en que "la hija se levanta contra la madre, la nuera contra su suegra" (Miqueas 7:6).

Cuando la joven se iba a vivir con la familia de su esposo, no abandonaba todos los derechos que le correspondían en su propia familia. Si su esposo moría, y no había cuñados que se casaran con ella, podía regresar a la casa de su padre. Noemí precisamente animó a sus nueras para que hicieran esto. Orfa aceptó la sugerencia (Rut 1:8-18).

E. Hermanos y hermanas. Se desarrollaba un fuerte amor entre los hermanos mientras crecían juntos, y compartían responsabilidades, problemas y triunfos. Uno de los proverbios declara: "El hombre que tiene amigos ha de mostrarse amigo; y amigo hay más unido que un hermano" (Proverbios 18:24).

José demostró que realmente amaba a sus hermanos. A pesar de que siendo él joven, ellos lo habían vendido como esclavo porque odiaban el favoritismo que su padre manifestaba por él. Posteriormente, cuando José tuvo poder y posición, hubiera podido arreglar cuentas con ellos. En vez de hacerlo, les manifestó amor y misericordia: "Ahora, pues, no os entristezcáis, ni os pese de haberme vendido acá; porque para preservación de vida me envió Dios delante de vosotros" (Génesis 45:5).

La Biblia describe a muchos hermanos que mantuvieron un amor mutuo profundo y permanente. El salmista describió el amor de los hermanos con las siguientes palabras: "Es como el buen óleo sobre la cabeza, el cual desciende sobre la barba, la barba de Aarón, y baja hasta el borde de sus vestiduras; como el rocío de Hermón, que desciende sobre los montes de Sion" (Salmo 133:2, 3).

También hubo casos de hermanos y hermanas que compartieron un vínculo especial. Los hijos de Job nunca hacían fiesta sin invitar a sus tres hermanas (Job 1:4). Cuando Dina fue violada, sus hermanos vengaron el crimen (Génesis 34).

En los tiempos más primitivos, los jóvenes se casaban algunas veces con sus medias hermanas. Abraham y Sara eran hijos del mismo padre, pero de madres diferentes (Génesis 20:12). Como ya hicimos notar, la ley mosaica prohibió esta práctica (Levítico 18:9; 20:17; Deuteronomio 27:22).

El vínculo de amor entre hermanas y hermanos era tan fuerte, que la ley mosaica permitía, aun a los sacerdotes, tocar el cadáver de un hermano, hermana, padre o hijo (Levítico 21:1-3). Esta era la única ocasión en que el sacerdote podía tocar a una persona muerta, sin quedar ceremonialmente impuro.

La familia amplia

En el sentido más básico, la familia estaba formada por el esposo, la esposa y los hijos. Cuando el esposo tenía más de una esposa, la "familia" incluía a todas las esposas y a sus hijos (vea Génesis 30). Algunas veces, la familia incluía a todos los que compartían una morada común bajo la protección del jefe de familia. Podían ser abuelos, siervos o visitantes, así como las hijas viudas y sus hijos. En la familia amplia se incluía comúnmente a los hijos varones con sus esposas e hijos (Levítico 18:6-18). Dios consideró a los esclavos de Abraham como parte de su grupo familiar, ya que le exigió que los circuncidara (Génesis 17:12-14, 22-27). En la historia primitiva de Israel, vivían juntas hasta cuatro generaciones de miembros de la familia. Esto fue parte normal de su estilo de vida seminómada y de su vida posterior de agricultores.

Aún hoy, en el Medio Oriente los pueblos seminómadas se reúnen en grandes familias para poder sobrevivir. Cada familia amplia tiene su propio "padre" o *jeque*, cuya palabra es ley.

En los tiempos del Antiguo Testamento, la familia amplia era gobernada por el hombre de mayor edad, a quien se llamaba "padre". Con frecuencia, este hombre era el abuelo o el bisabuelo. Por ejemplo, cuando la familia de Jacob se trasladó a Egipto, a Jacob se lo consideraba como el "padre", aunque sus hijos ya tenían sus esposas y sus propias familias (vea Génesis 46:8-27). Jacob continuó gobernando a su "familia" hasta la muerte.

El "padre" de una familia amplia tenía poder de vida o muerte sobre todos sus miembros. Esto lo vemos cuando Abraham estuvo a punto de sacrificar a su hijo Isaac (Génesis 22:9-12), y cuando Judá sentenció a muerte a su nuera por haber cometido adulterio (Génesis 38:24-26).

Posteriormente, la ley mosaica restringió la autoridad del padre. No le permitía sacrificar a su hijo sobre un altar (Levítico 18:21). Aunque le permitía vender a su hija, no se la podía vender a un extranjero, ni para la prostitución (Exodo 21:7; Levítico 19:29). Según la ley, el padre no le podía negar el derecho de primogenitura al varón que hubiera nacido primero, aunque tuviera hijos varones de dos mujeres distintas (Deuteronomio 21:15-17).

Algunos padres hebreos violaron estas leyes, como ocurrió en el caso de Jefté, quien prometió sacrificar a cualquier ser viviente que saliera a recibirlo al regresar él victorioso de la batalla. La que salió primero fue su hija. Jefté se sintió obligado a cumplir su voto (Jueces 11:31, 34-40). De igual modo, el rey Manasés quemó a su hijo para apaciguar a un dios pagano (2 Reyes 21:6).

No sabemos cuándo dio paso la familia amplia del Antiguo Testamento a la estructura familiar que conocemos hoy. Algunos eruditos piensan que aquel tipo de familia se desvaneció durante las monarquías de David y Salomón. Otros piensan que existió hasta bastante más tarde. Lo cierto es que, en los tiempos del Nuevo Testamento, la familia amplia había desaparecido por completo. Los escritos de Pablo confirman esto. Cuando el escribe acerca de la responsabilidad y las actitudes de cada miembro de la familia, sólo se refiere a los padres, los hijos y los esclavos (vea Efesios 5:21—6:9).

El Nuevo Testamento dice que José y María viajaron para ser empadronados en Belén (Lucas 2:4, 5). Cuando María ofreció sus sacrificios, fueron solos al templo (Lucas 2:22). También viajaron solos cuando llevaron a Jesús a Egipto (Mateo 2:14). Estos relatos tienden a confirmar que la familia del Nuevo Testamento sólo estaba formada por el esposo, la esposa y los hijos.

El clan

La familia amplia era parte de un grupo más grande, al que llamamos *clan*. El clan podía ser tan grande, que llegaba a tener centenares de hombres en sus filas (Génesis 46:8-27; Esdras 8:1-14). Los miembros de un clan descendían de un antepasado común, y por tanto, se consideraban parientes entre sí. Se sentían obligados a ayudarse y protegerse mutuamente.

Con frecuencia, el clan designaba a un hombre, llamado *goel*, quien ayudaba a los demás miembrso del clan cuando pasaban por necesidades. Nosotros solemos llamarlo *pariente redentor*. Su ayuda tenía que ver con muchas formas de necesidad.

Si un miembro del clan tenía que vender parte de su propiedad para pagar deudas, le daba al pariente redentor la primera oportunidad para que la comprara. Entonces, si el pariente redentor podía, tenía que comprar la propiedad para mantenerla como posesión del clan (Levítico 24:25; compare con Rut 4:1-6). Esta situación se presentó cuando el sobrino de Jeremías acudió a él y le dijo: "Compra ahora mi heredad que está en Anatot. . . porque tuyo es el derecho de la herencia, y a ti corresponde el rescate; cómprala para ti" (Jeremías 32:6-8). Jeremías compró el campo y usó este suceso para proclamar que los judíos regresarían algún día a Israel (Jeremías 32:15).

Ocasionalmente un ejército capturaba rehenes y los vendía al mejor postor. Un hombre también podía venderse a sí mismo como esclavo a fin de pagar una deuda. En ambos casos, los familiares más allegados del esclavo tenían que buscar al pariente redentor, quien trataría de comprar la libertad de su pariente (Levítico 25:47-49).

Si un hombre casado moría sin dejar hijos, el *goel* tenía que casarse con la viuda (Deuteronomio 25:5-10). Este era el matrimonio que llamamos *de levirato* (del latín *levir*, cuñado). Todos los hijos que nacieran de él se consideraban prole del difunto.

La historia de Rut y Noemí es buen ejemplo de la responsabilidad que tenía el pariente redentor. La viuda Noemí tuvo que vender la propiedad que tenía cerca de Belén, y quería que su nuera, quien no tenía hijos, se volviera a casar. El pariente más cercano convino en comprar el campo, pero no estaba dispuesto a casarse con Rut. Así que renunció a ambas obligaciones en una ceremonia realizada delante de los ancianos de la ciudad. Luego Booz, el pariente más cercano después de él, compró el campo y se casó con Rut (Rut 4:9, 10).

Al *goel* le tocaba vengar el asesinato de un pariente. En tal caso se lo llamaba el "vengador de la sangre" (vea Deuteronomio 19:12). La ley de Moisés limitó esta práctica, al establecer ciudades de refugio a las que pudieran huir los asesinos, pero aun esto no aseguraba que el criminal tuviera protección. Si el crimen se había cometido con premeditación o alevosía, el vengador de la sangre seguía al culpable hasta la ciudad de refugio y demandaba que se lo entregaran. En tal caso, el asesino era entregado al *goel*, quien lo mataba (vea Deuteronomio 19:1-13). Joab mató a Abner de esta manera (2 Samuel 2:22, 23).

La desintegración de la familia

La familia que vive en armonía y amor genuino es un deleite para todos los que estén asociados a ella. Ciertamente, este era el pensamiento de Dios cuando instituyó la familia. Desafortunadamente, la Biblia nos presenta pocas familias que lograron ese ideal. A través de la historia bíblica vamos encontrando familias en proceso de desintegración por causa de las presiones sociales, económicas y religiosas. Podemos identificar varias de estas presiones.

A. La falta de hijos. Este hecho era una amenaza grande para la vida matrimonial en los tiempos bíblicos. Si una pareja no podía engendrar un hijo, consideraban que aquel problema era un castigo de Dios.

Si un hombre no tenía hijos, aunque siguiera amando a su esposa, algunas veces se casaba con otra mujer o utilizaba los servicios de una sierva para engendrar hijos (Génesis 16:2; 30:3; Deuteronomio 21:10-14). Algunos hombres se divorciaban de su esposa para hacer esto. Aunque esta práctica resolvía el problema de la falta de hijos, creaba muchos otros.

La poligamia. En los tiempos del Antiguo Testamento, cuando dos mujeres compartían un marido, la rivalidad doméstica era continua. La palabra hebrea que distingue a la segunda esposa significa literalmente *esposa rival* (1 Samuel 1:6). Esto sugiere que por lo general había amargura y hostilidad entre las esposas de un polígamo. Sin embargo, la poligamia era algo acostumbrado, especialmente en la época de los patriarcas. Si un hombre no podía conseguir el dinero necesario para casarse con una segunda mujer, pensaba en comprar una esclava para ese propósito, o en hacer uso de una que ya estuviera en la familia (vea Génesis 16:2; 30:3-8).

En un matrimonio polígamo, el esposo favorecía invariablemente a una esposa más que a la otra. Esto tenía sus consecuencias, como la de decidir a cuál de sus hijos le daría el honor de la primogenitura. Algunas veces, el hombre quería darle su herencia al hijo de su esposa favorita, aunque realmente le pertenecía al hijo de la "aborre-cida" (Deuteronomio 21:15-17). Moisés declaró que el hijo primogéni-to era el que tenía derecho a esa honra, y que el esposo no podía defraudar a la madre del primogénito: "No disminuirá su alimento, ni su vestido, ni el deber conyugal" (Exodo 21:10).

La política era también un motivo que promovía la poligamia. Con frecuencia, un rey sellaba su convenio con otro rey mediante el matrimonio con la hija de su aliado. Cuando la Escritura se refiere al gran harén de Salomón, indica que "tuvo setecientas mujeres reinas" (1 Reyes 11:3). Esto indica que la mayoría de sus matrimonios fueron de naturaleza política. Es probable que estas mujeres procedieran de las pequeñas ciudades-estados y de las tribus que rodeaban a Israel.

Aldea de Kafr Kenna. Esta aldea rural de Galilea conserva notablemente la apariencia que tenían las aldeas de los tiempos bíblicos. Nótese el estilo sencillo de las casas.

Después del éxodo, la mayoría de los matrimonios hebreos fueron monógamos: cada esposo tenía sólo una esposa (Marcos 10:2-9). El libro de los Proverbios no menciona nunca la poligamia, aunque toca muchos aspectos de la cultura hebrea. Los profetas usaron siempre el matrimonio monógamo para describir la relación entre el Señor e Israel. Este tipo de matrimonio era el ideal de la vida de familia.

C. La muerte del esposo. La muerte del esposo tiene siempre profundas consecuencias para su familia. La gente de los tiempos bíblicos no era excepción en esto. Después de un período de duelo, la viuda podía proceder de diversas maneras.

Si no tenía hijos, se esperaba que continuara viviendo con la familia de su esposo, según la ley del levirato (Deuteronomio 25:5-10). Debía casarse con uno de los hermanos de su esposo, o con un pariente cercano. Si estos hombres no estaban disponibles, quedaba en libertad para casarse con alguien ajeno al clan (Rut 1:9).

Las viudas que tenían hijos tenían otras posibilidades. Por el libro apócrifo de Tobías sabemos que algunas regresaban a la familia de su padre o de su hermano (Tobías 1:8). Si la viuda era anciana, uno de sus hijos podía encargarse de ella. Si tenía una economía sólida, podía vivir sola. Por ejemplo, Judit no se volvió a casar, ni regresó a la casa de un familiar, porque "su marido, Manasés, le había dejado oro y plata, siervos y siervas, ganados y campos, que ella por sí administraba" (Judit 8:7).

De vez en cuando, había viudas que quedaban sin dinero y sin pariente varón del cual depender. Estas mujeres se enfrentaban a grandes penurias (vea 1 Reyes 17:8-15; 2 Reyes 4:1-7).

En los tiempos del Nuevo Testamento, la viuda que no tenía hijos se hallaba en una posición mucho más segura. Si no contaba con los medios acostumbrados de sustento, podía acudir a la iglesia en busca de ayuda. Pablo sugiere que las viudas jóvenes se vuelvan a casar, y que los hijos cuiden de las viudas ancianas; pero si la viuda no tiene a quién acudir, la iglesia debe cuidarla (1 Timoteo 5:16).

D. Los hijos rebeldes. Era un pecado grave deshonrar al padre o a la madre. Moisés ordenó que la persona que golpeara o maldijera al padre o a la madre debía morir (vea Exodo 21:15, 17; Levítico 20:9). No tenemos noticias de que este castigo se haya aplicado nunca, pero la Biblia describe muchos casos en que los hijos sí deshonraron a sus padres. Cuando Ezequiel enumeró los pecados de Jerusalén, escribió: "Al padre y a la madre despreciaron en ti; al extranjero trataron con violencia en medio de ti; al huérfano y a la viuda despojaron en ti" (Ezequiel 22:7). Un cuadro similar se presenta en Proverbios 19:26. Jesus condenó a muchos judíos de su tiempo por no honrar a sus padres (Mateo 15:4-9).

Algunas veces el padre causaba más fricción en la familia que el hijo. El profeta Natán le anunció a David: "Por tanto ahora no se apartará jamás de tu casa la espada, por cuanto me menospreciaste, y tomaste la mujer de Urías heteo para que fuese tu mujer" (2 Samuel 12:10). A partir de aquel momento, David tuvo problemas con sus hijos.

Amnón se enamoró apasionadamente de su media hermana Tamar, y la violó. Sin embargo, David no castigó a su hijo; entonces Absalón, el hermano de Tamar, mató por venganza a Amnón. Después huyó a la tierra de su madre, para regresar posteriormente y dirigir una revuelta contra su padre (2 Samuel 12). David les ordenó a sus hombres que no mataran a Absalón, pero el joven murió a manos de Joab, después de sufrir un accidente en medio de la batalla. David lloró por él (2 Samuel 18).

Cuando David se acercaba a su muerte, su hijo Adonías quiso ser su sucesor en el trono. David nunca había tratado de controlar sus caprichos, ni en esto ni en ninguna otra cosa. La Biblia dice que el rey "nunca le había entristecido (a Adonías) en todos sus días con decirle: ¿Por qué haces así?" (1 Reyes 1:6).

E. Rivalidad entre hermanos. El escritor de los Proverbios presenta de manera gráfica el problema de los hijos que discuten unos con otros: "El hermano ofendido es más tenaz que una ciudad fuerte, y las contiendas de los hermanos son como cerrojos de alcázar" (Proverbios 18:19). La Biblia describe diversas riñas entre hermanos, motivadas por distintas causas. Jacob usurpó para sí la bendición de Esaú (Génesis 27). Absalón odió a Amnón porque David no había querido castigarlo (2 Samuel 13). Salomón destruyó a su hermano Adonías porque sospechaba que éste quería usurparle el trono (1 Reyes 2:19-25). Cuando Joram ascendió al trono, mató a todos sus hermanos, a fin de que no constituyeran una amenaza para él (2 Crónicas 21:4).

Algunas veces, eran los padres quienes provocaban la rivalidad entre los hermanos, como en el caso de la familia de Isaac. La Biblia dice: "Y amó Isaac a Esaú. . . mas Rebeca amaba a Jacob" (Génesis 25:28). Cuando Isaac quiso bendecir a Esaú, Rebeca ayudó a Jacob a fin de que obtuviera la bendición para sí. Esaú se airó y amenazó con matar a Jacob. Este tuvo que huir a un país lejano (Génesis 27:41-43). Se necesitó que pasara el tiempo de toda una generación para que sus familias se volvieran a reunir.

Es triste decirlo, pero Jacob no aprendió nada de los errores que cometieron sus padres. El también favoreció a uno de sus hijos, a José, a quien distinguió y honró delante de sus hermanos. Esto disgustó tanto a los demás hijos, que tramaron matar al favorito de su padre. Las Escrituras dicen: "Y viendo sus hermanos que su padre lo amaba más que a todos sus hermanos, lo aborrecían, y no podían hablarle pacíficamente" (Génesis 37:4).

F. El adulterio. Los hebreos consideraban que el adulterio era una seria amenaza para la familia. Por esto, castigaban a los adúlteros de manera rápida y muy severa.

Resumen

La familia fue una de las hebras unificadoras en la historia bíblica. Cada vez que era amenazada o desafiada, la unidad familiar luchaba por sobrevivir. Dios usó las familias para transmitir su mensaje de generación en generación. Además, El siempre se ha expresado como el Padre de su familia redimida (Oseas 11:1-3). También espera que sus hijos lo honren (Malaquías 1:6). Jesús les enseñó a sus discípulos a orar diciendo: "Padre nuestro." Aún en el día de hoy, las oraciones de los hijos los preparan para honrar a Dios como al único Padre perfecto que puede satisfacer todas sus necesidades.

Dios estableció la unidad familiar como una parte vital de la sociedad humana. A través de nuestra amorosa experiencia en una familia humana, comenzamos a entender el asombroso privilegio que tenemos de formar parte de la "familia de Dios".

2
La mujer en Israel

s correcto afirmar que en el Israel bíblico se le daba mayor importancia al hombre que a la mujer. El padre o el varón mayor era quien tomaba las decisiones que afectaban a toda la familia, en tanto que las mujeres tenían muy poco que ver con ellas. Esta forma de vida familiar de tipo *patriarcal* (centrada en el padre) estableció las bases del trato que se les daba a las mujeres en Israel.

Por ejemplo, a la niña se la educaba para que obedeciera a su padre sin discutir. Luego, cuando se casaba, debía obedecer a su marido de la misma manera. Si se divorciaba, o enviudaba, con frecuencia regresaba a vivir en la casa de su padre.

De hecho, Levítico 27:1-8 sugiere que una mujer sólo valía la mitad de lo que valía un hombre. A los niños varones se los educaba para que tomaran decisiones y gobernaran su familia. A las muchachas se las educaba para que se casaran y tuvieran hijos.

La joven ni siquiera pensaba en llegar a tener alguna actividad ajena al hogar. La madre la educaba para cuidar la casa y criar a los hijos. Su obligación sería ayudar a su esposo y darle muchos hijos (Génesis 3:16). Si una mujer era estéril, se pensaba que estaba maldita (Génesis 30:1, 2, 22; 1 Samuel 1:1-8).

Aun así, la mujer era más que un objeto que se pudiera comprar y vender. Su papel era muy importante. Leemos en Proverbios 12:4: "La mujer virtuosa es corona de su marido; mas la mala, como carcoma en sus huesos." En otras palabras, la buena esposa era algo bueno para su esposo; lo ayudaba, lo atendía y hacía que él se sintiera orgulloso de ella. En cambio, la mala esposa era peor que un cáncer; podía destruirlo dolorosamente y convertirlo en objeto de burla. La esposa podía fortalecer o destruir a su esposo.

Aunque la mayoría de las mujeres pasaban sus días como amas de casa y madres, hubo algunas excepciones. Por ejemplo, María, la hermana de Moisés; Débora, jueza del pueblo; Hulda la profetisa y la reina Ester, quienes llegaron a ser algo más que buenas esposas.

Fueron dirigentes de la política y la religión, y demostraron que podían guiar a la nación tan bien como cualquier hombre.

El concepto que Dios tiene de la mujer

Hacia el final del primer capítulo del Génesis, leemos: "Y creó Dios al hombre a su imagen, a imagen de Dios lo creó; varón y hembra los creó. Y los bendijo Dios, y les dijo: Fructificad y multiplicaos; llenad la tierra, y sojuzgadla, y señoread en los peces del mar, en las aves de los cielos, y en todas las bestias que se mueven sobre la tierra" (Génesis 1:27, 28). Este pasaje muestra dos cosas con respecto a las mujeres. En primer lugar, la mujer, *al igual que el hombre*, fue creada a imagen de Dios. Dios no creó a la mujer para que fuera inferior al hombre; los dos son igualmente importantes. En segundo lugar, en la mente de Dios, la mujer también tendría autoridad sobre la creación. El hombre y la mujer deben compartir esta autoridad, que no le pertenece sólo al hombre.

Cabeza tallada. Los hilos negros de cobre colocados en los párpados de esta escultura de marfil (siglo XIV a.C.) le dan vitalidad a este retrato de una gran dama de Ugarit. En la frente, donde comienza el cabello, tiene bucles de plata mezclada con oro. El alto tocado y los cabellos estuvieron cubiertos antiguamente con una delgada capa de oro.

Dios dijo: "No es bueno que el hombre esté solo; le haré ayuda idónea para él" (Génesis 2:18). Así que "Dios hizo caer sueño profundo sobre Adán, y mientras éste dormía, tomó una de sus costillas, y cerró la carne en su lugar" (Génesis 2:21). Dios usó esa costilla para crear a Eva. Este relato muestra lo importante que es la mujer para el hombre: es parte de su mismo ser, y sin ella, él está incompleto.

Pero Adán y Eva pecaron, y Dios le dijo a Eva: "Tu deseo será para tu marido, y él se enseñoreará de ti" (Génesis 3:16). Así fue como se les dijo a las mujeres que obedecieran a sus maridos. De ese modo permaneció la situación, aun en tiempos del Nuevo Testamento, cuando el apóstol Pablo les diría a las esposas cristianas: "Las casadas estén sujetas a sus propios maridos, como al Señor" (Efesios 5:22). Sin embargo, aunque la mujer debía obedecer a su marido, no era inferior a él. Esto sólo significa que debe estar dispuesta a permitir que sea él quien dirija el hogar. De hecho, Pablo exhortó a que hubiera sumisión de parte de ambos: "Someteos unos a otros en el temor de Dios" (Efesios 5:21). En otra epístola, Pablo dice claramente que en Cristo no hay diferencia de condición entre el hombre y la mujer. "Ya no hay judío ni griego; no hay esclavo ni libre; no hay varón ni mujer; porque todos vosotros sois uno en Cristo Jesús" (Gálatas 3:28).

La posición legal de la mujer

La posición legal de la mujer en Israel era más débil que la del hombre. Por ejemplo, el marido podía divorciarse de su mujer si hallaba "en ella alguna cosa indecente", pero a la esposa no le estaba permitido divorciarse de su marido por ninguna razón (Deuteronomio 24:1-4). La ley decía que aquella esposa de la que se sospechara que había tenido relaciones sexuales con otro hombre tenía que someterse a una prueba de celos (Números 5:11-31). Sin embargo, aquel hombre del que se sospechara que había sido infiel con otra mujer, no tenía que someterse a prueba alguna. La ley también decía que el hombre podía hacer un voto religioso, y era obligatorio para él (Números 30:1-15); pero si una mujer hacía un voto, su padre lo podía anular, o si era casada, su esposo. El padre de una mujer podía venderla para pagar una deuda (Éxodo 21:7); y no se la podía liberar después de seis años, como al hombre (Levítico 25:40). Por lo menos hay dos casos de hombres que ofrecieron sacar a sus hijas para que una turba abusara sexualmente de ellas (Génesis 19:8; Jueces 19:24).

No obstante, algunas leyes sugerían que los hombres y las mujeres debían ser tratados como iguales. Por ejemplo, los hijos debían tratar a ambos padres con igual respeto y reverencia (Éxodo 20:12). El hijo que desobedeciera o maldijera a cualquiera de sus padres, debía recibir un castigo (Deuteronomio 21:18-21). Si se atrapaba a un hombre y una mujer en el acto de adulterio, los dos tenían que morir por lapidación (Deuteronomio 22:22). (Es interesante notar en este caso que, cuando los fariseos le llevaron a Jesús una mujer adúltera y querían apedrearla, ya habían quebrantado la ley, pues habían permitido que el hombre escapara. Juan 8:3-11.)

Otras leyes hebreas protegían a las mujeres. Si un hombre tomaba una segunda esposa, aun estaba obligado por la ley a alimentar y vestir a la primera, y a continuar sus relaciones sexuales con ella (Exodo 21:10). Aun la mujer extranjera capturada durante la guerra y tomada como esposa tenía algunos derechos: si el marido se cansaba de ella, debía dejarla en libertad (Deuteronomio 21:14). Todo hombre a quien se le probara que era culpable del delito de violación debía morir apedreado (Deuteronomio 22:23-27).

Por lo general, sólo los hombres tenían propiedades. No obstante, cuando los padres no tenían hijos varones, sus hijas podían recibir la herencia. Tenían que casarse dentro del clan para retenerla (Números 27:8-11).

Puesto que Israel era una sociedad dominada por hombres, algunas veces se pasaban por alto los derechos de las mujeres. Jesús habló acerca de una viuda que tuvo que importunar a un juez porque no quería apartar tiempo para oír la opinión de ella sobre un caso. Como no quería que lo siguiera molestando, terminó por concederle lo que ella deseaba (Lucas 18:1-8). Como ocurre con muchos de los relatos de Jesús, esto fue algo que pudo haber sucedido en realidad, y tal vez lo fue.

A pesar de esto, a las viudas también se les daba algunos privilegios especiales. Por ejemplo, se les permitía espigar en los campos después de la cosecha (Deuteronomio 24:19-22), y participaban del diezmo del tercer año junto con los levitas (Deuteronomio 26:12). Así que, a pesar de que su situación legal era más débil, las mujeres disfrutaban en realidad de algunos derechos especiales dentro de la sociedad hebrea.

La mujer y el culto

A las mujeres se las consideraba como miembros de la "familia de la fe". Como tales, podían entrar en la mayoría de los lugares de culto.

La ley ordenaba que todos los hombres comparecieran delante del Señor tres veces al año. Es evidente que las mujeres iban con ellos en algunas ocasiones (Deuteronomio 29:10; Nehemías 8:2; Joel 2:16), aunque no se les exigía que fueran. Tal vez no se les exigía esto a causa de los importantes deberes que ellas cumplían como esposas y madres. Por ejemplo, Ana fue a Silo con su esposo, y le pidió al Señor un hijo varón (1 Samuel 1:3-5). Más tarde, cuando nació el hijo, ella le dijo a su esposo: "Yo no subiré hasta que el niño sea destetado, para que lo lleve y sea presentado delante de Jehová, y se quede allá para siempre" (versículos 21, 22).

Mujer de Mari. Estatuilla de arcilla procedente de Mari, ciudad que estuvo situada en terreno que hoy es de Siria, a orillas del río Eufrates, en Mesopotamia. Representa a una mujer cantando. Data de antes del año 2.500 a.C.

Como cabeza de la familia, el marido o padre presentaba los sacrificios y ofrendas a favor de toda la familia (Levítico 12), pero la esposa también podía estar presente. Las mujeres asistían a la fiesta de los tabernáculos (Deuteronomio 16:14), a la fiesta anual solemne de Jehová (Jueces 21:19-21), y al festival de la luna nueva (2 Reyes 4:23).

Había un sacrificio que sólo las mujeres le ofrecían al Señor, después de dar a luz un hijo: "Cuando los días de su purificación fueren cumplidos, por hijo o por hija, traerá un cordero de un año para holocausto, y un palomino o una tórtola para expiación, a la puerta del tabernáculo de reunión, al sacerdote" (Levítico 12:6).

En los tiempos del Nuevo Testamento, las mujeres judías habían abandonado sus actividades en el culto del templo y de la sinagoga. Había un lugar especial junto al templo que se conocía con el nombre de "atrio de las mujeres", y no se les permitía penetrar en el patio interior. Ciertas fuentes extrabíblicas nos dicen que a las mujeres no se les permitía leer ni hablar en la sinagoga, pero podían sentarse a oír en la sección especial para mujeres. Es posible que se les permitiera entrar sólo en las sinagogas que funcionaban según principios helenistas.

En la Iglesia cristiana primitiva se desarrolla una situación diferente. Lucas 8:1-3 señala que Jesús aceptó algunas mujeres como acompañantes en sus viajes. También animó a Marta y a María para que se sentaran a sus pies como discípulas (Lucas 10:38-42). El respeto de Jesús hacia la mujer fue algo sorprendentemente nuevo.

Pozo de agua con gradas. La escalera, de 79 gradas, fue construida alrededor del año 1100 a.C., y baja en espiral hasta el estanque de Gabaón. Para construir ambos (con el fin de dar acceso al agua potable dentro de los muros de la ciudad) hubo que sacar casi tres mil toneladas de piedra caliza. Las mujeres de Gabaón bajaban y subían el largo trecho todos los días para llevarle agua a su familia.

Después de la ascensión de Jesús, varias mujeres se reunieron con los demás discípulos en el aposento alto para orar. Aunque las Escrituras no lo dicen de manera específica, es probable que estas mujeres oraran en voz alta y en público. Había hombres y mujeres reunidos en el hogar de la madre de Juan Marcos, para pedir en oración que Pedro fuera libertado (Hechos 12:1-17), y en la iglesia de Corinto oraban hombres y mujeres (1 Corintios 11:2-16). Esa fue la razón por la cual el apóstol Pablo les indicó la manera de orar en público, tanto a hombres como a mujeres.

Esta libertad para las mujeres era tan nueva, que causó algunos problemas dentro de la Iglesia. Por esto Pablo les señaló a las congregaciones algunos principios que limitaban el papel de la mujer: "Vuestras mujeres callen en las congregaciones; porque no les es permitido hablar, sino que estén sujetas, como también la ley lo dice. Y si quieren aprender algo, pregunten en casa a sus maridos; porque es indecoroso que una mujer hable en la congregación" (1 Corintios 14:34, 35).

En otra epístola, Pablo escribió: "La mujer aprenda en silencio, con toda sujeción. Porque no permito a la mujer enseñar, ni ejercer dominio sobre el hombre, sino estar en silencio" (1 Timoteo 2:11, 12). Varían las opiniones en cuanto a qué fue lo que impulsó a Pablo a escribir estas cosas, y hasta qué punto constituyen una norma para los cristianos de hoy. Sin embargo, hay algo seguro, y es que estaba corrigiendo un tipo de conducta que se consideraba desordenado en sus días.

En la Biblia aparecen varias mujeres que fueron famosas por su fe. En la lista de personas de fe que hallamos en Hebreos 11, aparecen dos mujeres: Sara y Rahab (Josué 2; 6:22-25). Ana es un piadoso ejemplo de madre israelita: oró, creyó que Dios oía sus oraciones y cumplió la promesa que le había hecho. Su historia se halla en 1 Samuel 1. María, la madre de Jesús, también fue una mujer buena y llena de Dios. En realidad, es muy probable que haya recordado el ejemplo de Ana, pues su cántico de alabanza a Dios (Lucas 1:46-55) es muy parecido al de ella (1 Samuel 2:1-10). El apóstol Pablo le recuerda a Timoteo la fidelidad de la madre y la abuela de éste (2 Timoteo 1:5).

Sin embargo, no todas las mujeres de los tiempos bíblicos fueron leales a Dios. Según la colección de escritos judíos conocida con el nombre de "Talmud", algunas mujeres eran "propensas a la brujería" (Joma 83b) y al ocultismo. El Talmud también alega que "la mayoría de las mujeres están inclinadas a la brujería" (Sanedrín 67a). Algunos rabinos creían que esta era la razón por la cual Dios le dijo a Moisés: "A la hechicera no dejarás que viva" (Exodo 22:18).

Para ser justos, hemos de reconocer que las Escrituras no indican que las mujeres estuvieran más interesadas en el ocultismo que los hombres. Varias referencias bíblicas a mujeres metidas en el ocultismo (por ejemplo, 2 Reyes 23:7; Ezequiel 8:14; Oseas 4:13, 14) señalan claramente que había hombres involucrados también. De las cuatro veces que se menciona la hechicería en el libro de Hechos, sólo en una ocasión se vio implicada una mujer (Hechos 8:9-24; 13:4-12; 16:16-18; 19:13-16).

La mujer en la cultura de Israel

La sociedad israelita suponía que el puesto de la mujer estaba en el hogar. Se esperaba de ella que considerara la vida de esposa y madre como la más deleitosa. Al parecer, las mujeres hebreas aceptaron de buena gana ese papel.

A. La esposa ideal. Todo hombre quería hallar una esposa perfecta: "Le da ella bien y no mal todos los días de su vida" (Proverbios 31:12). ¡Pocos hombres, tanto entonces como ahora, querrían una esposa dominante o amiga de pelear! En Proverbios 19:13 se comparan los pleitos de la mujer con una gotera continua que le cayera sobre la cabeza a una persona. En realidad, "mejor es morar en tierra desierta que con la mujer rencillosa e iracunda" (Proverbios 21:19).

Escena de un mercado romano. Este relieve funerario romano representa un puesto de aves y verduras. Una vendedora está detrás del mostrador. Las mujeres romanas corrieron mejor suerte que la mayoría de las mujeres del mundo antiguo.

¿Qué cualidades adornaban a la "mujer perfecta" en el antiguo Israel? ¿Qué cualidades buscaba una familia en la esposa de su hijo? ¿Qué cualidades inculcaba una madre en su hija como preparación para que fuera una buena esposa y madre?

El interesante poema que se halla en Proverbios 31 describe la mayoría de estas cualidades. Es un *acróstico*. En otras palabras, cada versículo comienza con una letra hebrea diferente, en orden alfabético. A estos versículos pudiéramos llamarlos el "abecé" de la esposa perfecta.

Según este poema, la mujer ideal es muy talentosa. Sabe cocinar y coser (versículos 13, 15, 19, 22). Nunca desperdicia el tiempo en chismes, sino que lo dedica a tareas más importantes (versículo 27). Es capaz de ver lo que hace falta hacer, y dedicarse a realizarlo. Entiende de negocios, y sabe comprar y vender con sabiduría (versículos 16, 24). Sin embargo, no es egoísta. Ayuda a los necesitados y aconseja a quienes tienen menos sabiduría que ella (versículo 26). También tiene una profunda reverencia hacia Dios (versículo 30). En todo sentido trata de ser una "ayuda idónea" para su marido. El poema termina diciendo que si ella hace todas estas cosas su marido será elevado a un puesto de importancia ante los ojos de la comunidad (versículo 23).

Se puede hallar un resumen más breve de lo que hace perfecta a una mujer en Eclesiástico (26:13-16): "La gracia de la mujer recrea a su marido, y su ciencia reconforta sus huesos. Un don del Señor la mujer silenciosa, no tiene precio la bien educada. Gracia de gracias la mujer pudorosa, no hay medida para pesar a la dueña de sí misma. Sol que sale por las alturas del Señor es la belleza de la mujer buena en una casa en orden."

B. La belleza de la mujer. Cada sociedad tiene sus propias normas de belleza. Algunas culturas hacen hincapié en que la mujer tiene que ser gruesa para ser bella, mientras que otras aplauden la esbeltez. Es difícil saber de manera precisa qué consideraban bello los hebreos de la antigüedad.

La mayoría de las mujeres atractivas que se mencionan en la Biblia no son descritas en detalle. El escritor por lo general anota que una mujer era "bella", y eso es todo. El concepto bíblico de belleza se presta a diferentes interpretaciones.

Tomemos, por ejemplo, la declaración de que "los ojos de Lea eran delicados, pero Raquel era de lindo semblante y de hermoso parecer" (Génesis 29:17). Algunos eruditos piensan que la palabra habrea que se tradujo "delicados" pudiera traducirse mejor mediante las palabras *tiernos y encantadores*. Si así es, esto podría significar que cada una de las hermanas tenía su propia belleza característica. Es posible que Lea tuviera unos ojos bellos, mientras que Raquel fuera hermosa de cuerpo.

Las más claras descripciones de una mujer bella nos vienen del Cantar de los Cantares, pero aun aquí dudamos que la descripción de la joven sea exacta. El poeta usa una larga serie de símiles y metáforas para hacer un cuadro mental de su amor, y algunas veces la técnica poética se mete en el camino de la descripción. Sus dientes son blancos, como manada de ovejas en la cual no falta ninguna. Sus labios son como hilo de grana (Cantares 4:2, 3).

Peinado. Panel del sarcófago de la princesa egipcia Kawit (alrededor del 2100 a.C.), que muestra el complicado proceso de un peinado. Una sierva le trenza el cabello a su señora, mientras la princesa sostiene un tazón de leche y un espejo.

Algunas de las mujeres más importantes del Antiguo Testamento fueron descritas como mujeres hermosas. De esa manera se describe a Sara (Génesis 12:11), Rebeca (Génesis 26:7) y Raquel (Génesis 29:17). David fue tentado a cometer adulterio con Betsabé, porque ella era muy hermosa (2 Samuel 11:2). Tamar, la hija de David, fue violada por su medio hermano Amnón, a causa de su hermosura (2 Samuel 13:1). Absalón y Job tuvieron ambos hijas hermosas (2 Samuel 14:27; Job 42:15). La lucha entre Salomón y Adonías para suceder a David en el trono terminó cuando Adonías solicitó que se le permitiera casarse con la hermosa Abisag (1 Reyes 1:3, 4). No sólo se le negó la petición, sino que le costó la vida (1 Reyes 2:19-25). Los judíos que vivían en Persia fueron salvados por una hermosa judía llamada Ester (vea el libro de Ester).

No todas las mujeres eran naturalmente hermosas, pero las ricas podían mejorar su apariencia con vestidos costosos, perfumes y cosméticos. El profeta Ezequiel dijo que la nación de Israel era como una joven que se lavaba y se ungía. Usaba vestidos bordados y zapatos de cuero. Dios le dijo a la nación: "Te atavié con adornos, y puse brazaletes en tus brazos y collar a tu cuello. Puse joyas en tu nariz, y zarcillos en tus orejas, y una hermosa diadema en tu cabeza. Así fuiste adornada de oro y de plata, y tu vestido era de lino fino, seda y bordado; comiste flor de harina de trigo, miel y aceite; y fuiste hermoseada en extremo" (Ezequiel 16:11-13). En Isaías 3:18-23 se enumeran más joyas aún: atavíos para las piernas, bandas para la cabeza ("cofias"), redecillas, anillos y joyas para la nariz. Los arqueólogos han hallado algunos de estos artículos.

Jeremías habló acerca de otra práctica que era común en sus días. Las mujeres se pintaban el rostro para realzar los ojos (Jeremías 4:30). También se ponían peinetas adornadas con joyas en la cabellera para que fuera más atractiva. Se han hallado muchas de estas peinetas y centenares de espejos que datan de los tiempos bíblicos.

Sin embargo, hay dos clases de belleza: la belleza externa, y la belleza interna de la personalidad agradable. Las Escrituras advierten, tanto a hombres como a mujeres, que no les den demasiada importancia a los rasgos físicos ni a las ropas costosas.

Un sabio hace esta advertencia: "Como zarcillo de oro en el hocico de un cerdo es la mujer hermosa y apartada de razón" (Proverbios 11:22). También: "Engañosa es la gracia, y vana la hermosura; la mujer que teme a Jehová, ésa será alabada" (Proverbios 31:30). Pedro y Pablo amonestaron a las mujeres de su tiempo a interesarse más en la belleza interna, que en la buena apariencia (1 Timoteo 2:9, 10; 1 Pedro 3:3, 4).

C. La mujer y la vida sexual. La Ley prohibía que una mujer soltera sostuviera relaciones sexuales. Tenía que permenecer virgen hasta después de la ceremonia matrimonial. Si alguien podía probar que no era virgen en el momento de casarse, era llevada a la puerta de la casa de su padre, para que la mataran los hombres de la ciudad por apedreamiento (Deuteronomio 22:20, 21).

La vida sexual era una parte muy importante de las relaciones matrimoniales. Dios había dispuesto la relación sexual para el disfrute de las personas que tenían derecho, y en el lugar apropiado: los cónyuges, dentro de su matrimonio. Los judíos estaban tan firmemente convencidos con respecto a esto, que al hombre recién casado lo liberaban de sus obligaciones militares o comerciales durante todo un año, a fin de que pudiera "alegrar a la mujer que tomó" (Deuteronomio 24:5). La única restricción era que no debían tener relaciones sexuales durante el período menstrual (Levítico 18:19).

Tanto la esposa como el esposo debían disfrutar del sexo. Dios le dijo a Eva: "Tu deseo será para tu marido" (Génesis 3:16). En el Cantar de los Cantares, la mujer toma un papel activo: besa a su esposo y lo hace entrar a su dormitorio. Le expresa su amor repetidamente y lo insta a disfrutar de la relación física (Cantares 1:2; 2:3-6, 8-10; 8:1-4).

En los tiempos del Nuevo Testamento, hubo desacuerdo en la iglesia de Corinto sobre el papel que debía desempeñar el aspecto sexual en la vida. Según parece, algunas personas pensaban que se debía disfrutar de todo lo que ofrece la vida. Por tanto, todo lo que se quisiera hacer con el sexo estaba correcto para ellos, incluso el adulterio, la prostitución y los actos homosexuales. Otras personas pensaban que el sexo era algo malo, y que no se debían tener relaciones físicas, ni siquiera dentro del matrimonio. Pablo les recordó a los corintios que el adulterio y la homosexualidad eran pecados y debían evitarse (1 Corintios 6:9-11), pero dijo también que el esposo debe disfrutar con su esposa del sexo, puesto que es un don que Dios les ha dado. Esto enseña Pablo: "El marido cumpla con la mujer el deber conyugal, y asimismo la mujer con el marido. . . No os neguéis el uno al otro, a no ser por algún tiempo de mutuo consentimiento, para ocuparos sosegadamente en la oración; y volved a juntaros en uno, para que no os tiente Satanás a causa de vuestra incontinencia" (1 Corintios 7:3, 5).

D. La mujer como madre. Sin las medicinas y los calmantes de la actualidad, el parto era una experiencia muy dolorosa. De hecho, muchas madres morían mientras daban a luz (vea Génesis 35:18-20; 1 Samuel 4:20). A pesar de estos peligros, la mayoría de las mujeres querían tener hijos.

Para la mujer hebrea era sumamente importante ser buena esposa y buena madre. El mayor honor que podía esperar una mujer, era el de dar a luz al Mesías. Difícilmente podemos imaginarnos cuán emocionada se sentiría María cuando el ángel Gabriel la saludó con estas palabras: "¡Salve, muy favorecida! El Señor es contigo; bendita tú entre las mujeres" (Lucas 1:28). Después le dijo que ella sería la madre del Mesías. El saludo que recibió más tarde de su prima Elisabet fue similar (vea Lucas 1:42).

E. El trabajo de la mujer. De acuerdo con las normas de hoy, nos parecería que la vida diaria de la madre israelita promedio no era muy estimulante. Se caracterizaba por sus largas horas de arduo trabajo.

Era la primera en levantarse por la mañana, y encendía el fuego en el fogón o el horno. El alimento principal de la dieta israelita era el pan. Por tanto, una de las tareas que tenía que realizar el ama de casa consistía en moler el grano para obtener la harina. Esto exigía varios pasos. Por supuesto que no disponía de ninguno de los artefactos modernos que hay en tantas casas actualmente, así que todo este trabajo tenía que hacerlo a mano.

Elaboración de la masa. Esta figura humana toscamente modelada, procedente de el-Jib, Palestina (alrededor del siglo VI a.C.), se inclina sobre una artesa para amasar la harina. El pan era el alimento más importante del Medio Oriente en la antigüedad. Se mezclaba la harina con agua y sal, y se amasaba. Luego se le añadía una pequeña cantidad de masa ya fermentada, y se dejaba hasta que toda se fermentara. Los judíos no usaban levadura en las ofrendas de flor de harina (Levítico 2:11), y su uso estaba prohibido durante la semana de la pascua.

La mujer usaba espinos, rastrojos y estiércol de animales para alimentar el fuego. Por lo general eran los niños quienes debían buscar la leña, pero si no tenían suficiente edad para salir de la casa, la misma mujer tenía que ir a buscarla.

Todas las familias necesitan agua. Algunas veces tenían sus propias cisternas privadas donde acumulaban el agua de lluvia, pero era más frecuente que el agua procediera de algún manantial o pozo situado en el centro de la aldea. Unas pocas ciudades del Antiguo Testamento estaban construidas sobre manantiales subterráneos. Dos de ellas eran Meguido y Hazor. En Hazor, la mujer que iba a buscar agua caminaba por las calles hasta llegar a un profundo pozo. Luego descendía nueve metros por dos laderas hechas por el hombre, y cinco tramos de escaleras, hasta el túnel del agua, donde seguía por otras escaleras hasta llegar al nivel del agua para llenar su gran cántaro. Necesitaba una notable fortaleza para poder subir después con el pesado cántaro lleno. En realidad este viaje no era tan malo para ella. Le daba la oportunidad de hablar con las demás mujeres de la aldea. Con frecuencia se reunían alrededor de la fuente al atardecer o muy de mañana para intercambiar noticias y chismes (Génesis 24:11). La mujer que fue a buscar agua en el pozo de Sicar, sin duda alguna salió a mediodía porque las demás mujeres del pueblo no querían relacionarse con ella, a causa de su disipada vida, y cuando se reunían la rechazaban (vea Juan 4:5-30).

Se esperaba también de la esposa que confeccionara la ropa de la familia. A los niños pequeños había que alimentarlos, vigilarlos y mantenerlos limpios. Cuando los niños crecían, era la madre quien les enseñaba los buenos modales. A las hijas mayores también las enseñaba a cocinar, coser y hacer las demás cosas que una buena esposa israelita tenía que saber.

Además, la esposa debía ayudar a recoger las cosechas (vea Rut 2:23). También preparaba algunas de ellas, como las aceitunas y las uvas, para conservarlas. Es decir, que su labor diaria tenía que ser suficientemente flexible para incluir estas otras tareas.

Mujeres que fueron dirigentes de Israel

La mayoría de las mujeres israelitas nunca llegaron a ser dirigentes del pueblo, pero hubo algunas excepciones. Las Escrituras conservan el nombre y la actuación de varias mujeres que llegaron a ser prominentes en los asuntos políticos, militares o religiosos.

A. Heroínas militares. Las dos heroínas militares más famosas del Antiguo Testamento fueron Débora y Jael; ambas participaron en la misma victoria. Dios le habló por medio de Débora a un líder militar llamado Barac. Ella le dijo cómo podría derrotar a los cananeos. Barac convino en atacarlos, pero quiso que Débora fuera con él a la batalla. Ella fue, y los cananeos fueron derrotados. Sin embargo, el general cananeo Sísara escapó a pie. Jael lo vio, salió a saludarlo y lo invitó a entrar en su tienda. Allí él se quedó dormido. Mientras dormía, Jael entró, le clavó una estaca de la tienda en la cabeza, y así murió (Jueces 4, 5).

Mujeres tejiendo lana. Este relieve en piedra, procedente de Susa, representa a una mujer con un huso en la mano izquierda, y un material fibroso, tal vez lana, en la derecha. Detrás de ella está una sierva con un gran abanico. Entre los hebreos, hilar era un trabajo reservado en especial a las mujeres (Exodo 35:25, 26).

En otra ocasión, varias mujeres ayudaron a defender de sus atacantes a la ciudad de Tebes. Abimelec, que dirigía el ataque, se acercó a la puerta de la torre para prenderle fuego. Una de las mujeres lo vio en la puerta y dejó caer una rueda de molino sobre su cabeza. La pesada piedra le destruyó el cráneo a Abimelec. Mientras agonizaba, le dijo a su escudero: "Saca tu espada y mátame, para que no se diga de mí: Una mujer lo mató" (Jueces 9:54). Los atacantes se replegaron. Las generaciones posteriores le atribuyeron la victoria a esta mujer anónima (ver 2 Samuel 11:21).

En los días de Jesús, los judíos contaban una historia popular acerca de una viuda rica llamada Judit, mujer devota y hermosa. La historia comenzaba con la invasión de Israel por un ejército asirio, dirigido por el general Holofernes. Este rodeó a una de las ciudades de Israel, le cortó la entrada de alimentos y provisiones y le dio cinco días para que se rindiera. Judit exhortó al pueblo a confiar en que Dios les daría la victoria. Luego se puso un bello vestido y le hizo una visita a Holofernes. El general pensó que ella era muy hermosa y le pidió que lo visitara todos los días. La última noche, poco antes del momento en que los judíos tenían que rendirse, Judit se hallaba sola con Holofernes. Cuando el general cayó en el sopor de la embriaguez, Judit tomó la espada de él, le cortó la cabeza y la colocó en una cesta. Luego regresó a la ciudad. Por la mañana, cuando los asirios hallaron muerto a su líder, les fue fácil a los judíos derrotarlos.

B. Reinas. No todas las mujeres que se mencionan en la Biblia fueron famosas por sus buenas obras. La reina Jezabel es la mala mujer más conocida del Antiguo Testamento. Era hija de Et-baal, rey de los sidonios. Se casó con Acab, príncipe de Israel, y se mudó a Samaria. Cuando Jezabel llegó a ser reina, se impuso sobre el pueblo. Quería que los israelitas adoraran a Baal, así que introdujo centenares de profetas de este dios en el país y los colocó en la nómina de pagos del gobierno. También mató a todos los profetas de Jehová que pudo encontrar (1 Reyes 18:13). Eliminó hasta a los laicos que eran fieles a Dios, como Nabot. El profeta Elías huyó a esconderse de ella para salvar la vida; pensaba que era el único profeta que quedaba en todo el país. En realidad, en todo el reino sólo había siete mil personas que se habían negado a adorar a Baal, pero Dios era el único que sabía quiénes eran. Siete mil, por supuesto, eran muy pocos. Años después que Jezabel fuera derrocada y muriera, el culto a Baal continuaba (1 Reyes 18-21).

Herodías fue otra mujer que usó su poder y su hermosura para conseguir lo que quería. Cuando Juan el Bautista habló contra su matrimonio con el rey Herodes, ella hizo que el rey arrestara a Juan y lo encarcelara. El día del cumpleaños de Herodes, la hija de Herodías danzó para los invitados. Esto agradó mucho a Herodes, así que prometió darle cualquier cosa que ella pidiera. Herodías le dijo a su hija que pidiera la cabeza de Juan el Bautista. Así fue como logró la muerte de Juan.

No todas las reinas de la Biblia fueron malas. La reina Ester usó su poder sobre el imperio persa para ayudar a los judíos. El relato completo de su historia se halla en el libro de Ester.

C. Reinas madres. Los escritores de los dos libros de los Reyes y de los dos libros de las Crónicas nos hablan mucho acerca de las reinas madres de Judá. Al referirse a los veinte reyes que gobernaron en Judá desde la época de Salomón hasta los tiempos del exilio, sólo una vez dejan de mencionar a la reina madre. Un ejemplo típico de lo que se dice acerca de las reinas madres, lo hallamos en el siguiente pasaje: "En el año segundo de Joás hijo de Joacaz rey de Israel, comenzó a reinar Amasías hijo de Joás rey de Judá. Cuando comenzó a reinar era de veinticinco años, y veintinueve años reinó en Jerusalén; el nombre de su madre fue Joadán, de Jerusalén. Y él hizo lo recto ante los ojos de Jehová" (2 Reyes 14:1-3).

Es de suponer que la madre del rey fuera una persona importante en Judá. Desafortunadamente, es muy poco lo que se conoce acerca del papel que desempeñaba en el gobierno o en la sociedad.

Podemos destacar el caso de una reina madre que tuvo una influencia decisiva. Adonías, por ser el mayor de los hijos de David, pensaba que lo sucedería en el trono. Varios funcionarios de alto rango estaban de acuerdo con él. Entre ellos se hallaban Joab, el general del ejército, y el sacerdote Abiatar. En cambio, el profeta Natán y otro sacerdote llamado Sadoc, creían que Salomón, otro de los hijos de David, actuaría mejor como rey. Betsabé, la madre de Salomón, persuadió a David para que prometiera solemnemente que Salomón sería el próximo rey (1 Reyes 1:30). Salomón respetó a su madre por lo que ella había hecho (1 Reyes 2:19).

Sin embargo, no todas las reinas madres fueron tratadas con tanto respeto. Cuando el rey Asa introdujo reformas religiosas en el país, quitó a su madre de la posición que ocupaba en la corte, porque había hecho una imagen de la diosa Asera. Puesto que Asa miraba todo esto como pecado, quitó la prostitución sagrada y destruyó todos los ídolos, incluso el de Asera. Aunque no le dio muerte a su madre, sí la quitó del poder (1 Reyes 15:9-15).

Una reina madre que tuvo gran poder fue Atalía, la madre de Ocozías. Cuando su hijo fue muerto en batalla, Atalía se apoderó del trono y trató de matar a todos los legítimos herederos. Sin embargo, Joás, uno de los príncipes infantes, fue salvado y escondido en el templo. Durante seis años, Atalía reinó con mano de hierro sobre

Judá, pero tan pronto como el joven príncipe tuvo suficiente edad para llegar a ser rey, Atalía fue derrocada y ejecutada (2 Reyes 11:1-16).

Cabeza de mujer labrada en marfil. Esta talla en marfil representa a una asiria (alrededor del siglo VIII a.C.). Fue esculpida en un corte de un gran colmillo de elefante. Una cinta de doble pliegue, o banda de cabeza, le sostiene el cabello, que cae en rizos sobre el cuello.

D. Consejeras. La mayoría de las aldeas tenían personas sabias a quienes las demás personas acudían con frecuencia en busca de consejo. La corte del rey también tenía muchos sabios consejeros. Aunque las Escrituras no hablan de que hubiera consejeras en la corte real, sí hay varios ejemplos de mujeres sabias que eran consejeras en las aldeas.

Cuando Joab, el comandante en jefe del ejército de David, quiso reconciliar a David con su hijo Absalón, buscó a una mujer sabia de Tecoa para que lo ayudara. Esta mujer fingió ser una viuda que tenía dos hijos. Dijo que en un ataque de ira, uno de sus hijos había matado al otro, y ahora el resto de la familia quería matar al que quedaba. David oyó el relato de ella y dictaminó que ella tenía razón al querer perdonar a su segundo hijo. Entonces la mujer le indicó al rey que él no estaba practicando lo que predicaba, puesto que no le había perdonado a Absalón un crimen similar. David comprendió que estaba equivocado, y permitió que Absalón regresara a Jerusalén (2 Samuel 14:1-20).

Hubo otra mujer sabia que salvó a su propia ciudad de la destrucción. Un hombre llamado Seba promovió una revuelta contra el rey David. Cuando fracasó la revuelta, Seba huyó y se escondió en la ciudad de Abel. Joab, el general de David, rodeó la ciudad y se estaba alistando para atacarla cuando una mujer sabia de la ciudad apareció en el muro y solicitó una entrevista con Joab. Ella le recordó que la ciudad de ella había sido muy importante para Israel. Le dijo que destruir a la ciudad de Abel sería como matar a una "madre en Israel". Así que los dos convinieron en un plan. Si ellos mataban a Seba, la ciudad no sería atacada. La mujer sabia regresó y habló al pueblo acerca de este plan. Ellos mataron a Seba, y luego observaron cómo Joab y su ejército se retiraron de la ciudad.

La mezuza

Cuando el ángel de la muerte pasó por Egipto, matando a todos los varones primogénitos, las familias judías se protegieron colocando la sangre del cordero pascual en los postes de las puertas de sus hogares (Exodo 12:23). Hoy muchos judíos ponen una *mezuza* en el marco de su puerta, como recordatorio de la presencia de Dios y de aquel acontecimiento que sirvió para que el pueblo hebreo fuera rescatado de su esclavitud en Egipto.

La *mezuza* (hebreo "mezuzah", poste o marco de la puerta) es un pequeño estuche que contiene un pergamino en el cual se halla escrito el siguiente texto bíblico: "Oye, Israel: Jehová nuestro Dios, Jehová uno es. Y amarás a Jehová tu Dios de todo tu corazón, y de toda tu alma, y con todas tus fuerzas. Y estas palabras que yo te mando hoy, estarán sobre tu corazón; y las repetirás a tus hijos, y hablarás de ellas estando en tu casa, y andando por el camino, y al acostarte, y cuando te levantes. Y las atarás como una señal en tu mano, y estarán como frontales entre tus ojos; y las escribirás en los postes de tu casa, y en tus puertas" (Deuteronomio 6:4-9).

El pergamino continúa con Deuteronomio 11:13-21, pasaje que insiste en la obediencia a los mandamientos y en las recompensas que obtiene una vida recta.

Aún hoy, el pergamino que se coloca en cada *mezuza* es escrito por expertos escribas, quienes usan los mismos procedimientos estrictos que se usaron al escribir la Ley. Luego se enrolla apretadamente y se coloca en el estuche de tal modo que la palabra *shaddai (omnipotente)* aparezca a través de un orificio cercano a la parte superior del estuche. Se lee una oración especial cuando se coloca la *mezuza*, que debe quedar en el tercio superior del poste derecho de la puerta, y ligeramente inclinada hacia el interior de la casa. Aunque en tiempos recientes ha disminuido la popularidad de la *mezuza*, muchos judíos aún la besan, mediante el procedimiento de tocarse los labios con los dedos y luego extenderlos hacia la *mezuza*, tanto al entrar a la casa, como al salir de ella. Al mismo tiempo recitan el Salmo 121:8: "Jehová guardará tu salida y tu entrada desde ahora y para siempre."

La *mezuza* le recuerda diariamente a la familia judía su responsabilidad para con Dios y con la comunidad. Para la comunidad es una señal de que en este hogar las leyes de Dios reinan como valor supremo. En el santuario de ese hogar, apartado de las influencias mundanas, la familia judía estudia las Escrituras, observa las fiestas prescritas e instruye a los hijos en la fe de los padres.

Un antiguo erudito hebreo explicó la razón de ser de la *mezuza*, comparándola con los guardas de un rey terrenal. Así como un rey mantiene guardas en sus puertas para tener garantizada la seguridad, también el pueblo de Israel se halla seguro en sus hogares, porque la Palabra de Dios está en la puerta para custodiarlos.

E. Líderes de la religión. En Israel, Dios no permitió que hubiera sacerdotisas; en ningún caso podía una mujer llegar a ser sacerdotisa, porque su ciclo menstrual la hacía inmunda. El ministerio sacerdotal estaba restringido a los varones descendientes de Aarón. Sin embargo, las mujeres podían realizar muchas otras tareas rituales. No es sorprendente hallar que había mujeres participando en diversos niveles del culto público a Jehová.

Había profetisas, esto es, mujeres que eran voceros de Dios. La profetisa hebrea más famosa fue Hulda, la esposa de Salum. Su ministerio se desarrolló durante los días del rey Josías. Cuando fue hallado el libro de la Ley en el templo, los líderes religiosos acudieron a ella y le preguntaron qué era lo que Dios quería que hiciera la nación. Todo el pueblo, incluso el rey Josías, trató de poner en práctica las indicaciones que dio la profetisa hasta el último detalle, pues estaban convencidos de que Dios había hablado por medio de ella (2 Reyes 22:11-23:14).

Hubo muchas otras profetisas en el Antiguo Testamento, entre las cuales podemos señalar a María (Exodo 15:20), Débora (Jueces 4:4) y la esposa de Isaías (Isaías 8:3). El Nuevo Testamento menciona que Ana y las hijas de Felipe eran profetisas, pero no sabemos mucho más acerca de la vida de ellas ni de su mensaje (Lucas 2:36; Hechos 21:9).

Algunas mujeres usaron el talento musical que Dios les había dado. María y otras mujeres entonaron un cántico de alabanza a Dios, después que libró a los israelitas de los egipcios (Exodo 15:2). Cuando Dios ayudó a Débora y a Barac a derrotar a los cananeos, escribieron un canto de victoria y lo cantaron a dúo (Jueces 5:1-31). Las tres hijas de Hemán también se dedicaron a la música; según 1 Crónicas 25:5, 6, actuaban en el templo.

En la iglesia de Cencrea había una diaconisa llamaba Febe, de quien dijo Pablo: "Ha ayudado a muchos, y a mí mismo" (Romanos 16:2). El mismo Pablo le indicó a Timoteo que las esposas de los diáconos debían ser "honestas, no calumniadoras, sino sobrias, fieles en todo" (1 Timoteo 3:11). En cambio, le indicó claramente que no quería que ninguna mujer enseñara o tuviera autoridad sobre los hombres (2:12).

En la Iglesia primitiva hubo otras dirigentes notables, como Priscila, quien le explicó a Apolos, junto con su esposo Aquila, "más exactamente el camino de Dios" (vea Hechos 18:24-28). Evodia y Síntique eran dirigentes espirituales en la iglesia de Filipos. Pablo dijo de ellas: "Estas . . . combatieron juntamente conmigo en el evangelio, con Clemente también y los demás colaboradores míos" (Filipenses 4:3). De aquí se puede deducir que estaban realizando una obra similar a la de él.

Resumen

Una antigua anécdota judía demuestra lo importantes que son las mujeres en Israel. Se cuenta que un hombre piadoso estaba casado con una mujer piadosa. Como no tuvieron hijos, al cabo de un tiempo convinieron en divorciarse. El esposo se casó después con una mujer perversa y ella lo pervirtió. La mujer piadosa se casó con un hombre perverso y lo hizo justo. Hay una moraleja para esta narración: la mujer es quien establece el tono espiritual del hogar.

La madre israelita ocupaba un lugar importante en la vida de la familia. En gran parte, ella era la clave del éxito o el fracaso de la familia. Su influencia en su esposo e hijos podía ser incalculable.

La historia y la cultura de Israel tienen una gran deuda con estas laboriosas mujeres.

3
El matrimonio y el divorcio

a Biblia manifiesta claramente cuáles son las intenciones de Dios en cuanto al matrimonio. Su propósito es que un hombre y una mujer hallen dentro de él una realización tanto espiritual como sexual. Esta relación quedó empañada al caer la humanidad en el pecado. La historia de Israel nos narra los cambios que afectaron su vida matrimonial cuando se decidieron a aceptar las degradantes prácticas de sus impíos vecinos.

Jesús insistió de nuevo en el significado del matrimonio. Reprendió a los judíos por su actitud hacia el divorcio, y exhortó a los esposos a vivir en armonía el uno con el otro.

El matrimonio

Debemos estudiar los siguientes pasajes bíblicos que describen la razón de ser del matrimonio. La Biblia nos da una amplia visión de los privilegios y deberes que trae consigo el vínculo matrimonial.

A. El matrimonio fue establecido por Dios. Dios creó primero una pareja de seres humanos: un hombre y una mujer. El primer mandato que les dio fue el siguiente: "Fructificad y multiplicaos; llenad la tierra" (Génesis 1:28). Al unir a esta pareja, estaba instituyendo el matrimonio, la más básica de todas las relaciones sociales. El matrimonio capacitaba a la humanidad para cumplir el mandato divino de señorear y llenar la tierra (Génesis 1:28).

Dios hizo a su imagen tanto al hombre como a la mujer, ambos con su papel especial que cumplir, y complemento el uno del otro. Génesis 2 nos dice que Dios creó primero al hombre. Luego, con una costilla del hombre, hizo una "ayuda idónea para él" (Génesis 2:18). Cuando le presentó la mujer a Adán, los unió y les dijo: "Por tanto, dejará el hombre a su padre y a su madre, y se unirá a su mujer, y serán una sola carne" (Génesis 2:24).

La intención de Dios era que el matrimonio fuera una relación permanente. Debía ser un pacto único entre dos personas, que excluyera a todas las demás de su intimidad. Al dar el mandamiento "No cometerás adulterio" (Exodo 20:14), estaba prohibiendo expresamente que se quebrantara esta unión. El Nuevo Testamento reafirma esta exclusividad del vínculo matrimonial. Jesús dijo que los esposos "no son ya más dos, sino una sola carne; por tanto, lo que Dios juntó, no lo separe el hombre" (Mateo 19:6). Pablo comparó hermosamente el amor del esposo hacia su esposa con el amor de Cristo hacia su Iglesia (Efesios 5:25). Lo expresó afirmando que así como el amor de Cristo es tan profundo que murió por la Iglesia, el amor del hombre hacia su esposa debe vencer cualquier sentimiento causado por las imperfecciones que ella pueda tener.

Un desfile nupcial. Esta concepción artística de un desfile nupcial típico de los tiempos bíblicos nos muestra al esposo, acompañado por su esposa y los invitados, mientras regresa a su casa para dar comienzo a la fiesta. La música y la danza eran las partes principales de la celebración, que solía durar entre una y dos semanas.

El matrimonio es más que un contrato que hacen dos personas para beneficio de ambas. Puesto que los votos matrimoniales se hacen en la presencia de Dios y en su nombre, los esposos pueden obtener de El poder para cumplirlos. De esta forma, Dios mismo se convierte en el participante del matrimonio que se encarga de sostenerlo en pie. Proverbios nos lo recuerda cuando nos dice que Dios les da a los cónyuges sabiduría, discreción y entendimiento para que eviten que la infidelidad los arrastre (vea Proverbios 2:6-16). Los escritores del Nuevo Testamento entendían que el matrimonio cristiano es creado y mantenido por Cristo.

B. El amor, señal característica del matrimonio. Por encima de cualquier otro aspecto, el amor es lo más característico en esta unión. Notemos la sencillez con que las Escrituras describen el matrimonio de Isaac y Rebeca: "Y la trajo Isaac a la tienda. . . y tomó a Rebeca por mujer, y la amó" (Génesis 24:67). El amor, fundado en la amistad verdadera y en el respeto, sella y sostiene el vínculo matrimonial. Pedro amonesta a los maridos: "Vosotros, maridos, igualmente, vivid con ellas sabiamente, dando honor a la mujer como a vaso más frágil, y como a coherederas de la gracia de la vida" (1 Pedro 3:7). La existencia de esta clase de amor entre un hombre y una mujer purifica su relación matrimonial.

La Biblia dice que ambos esposos son iguales como personas delante de Dios, ya que los dos fueron hechos a su imagen. Los dos pueden ser salvos de sus pecados por medio de Jesús (Génesis 1:28; Gálatas 3:28; Colosenses 3:10, 11). Juntos reciben las bendiciones y los dones de Dios en su matrimonio (Romanos 4:18-21; Hebreos 11:11; 1 Pedro 3:5-7). Cuando se unen en matrimonio, los dos tienen obligaciones, aunque sea distinto el grado de capacidad para cumplir con las responsabilidades que comparten.

C. El matrimonio satisface las necesidades sexuales. Otro factor de la relación matrimonial es la unión sexual de los cónyuges. Esta, basada en el compromiso matrimonial, es la que consuma el matrimonio. La declaración "Conoció Adán a su mujer Eva" (Génesis 4:1, 25, y otros pasajes), es la forma directa que tiene la Biblia de referirse a las relaciones sexuales. Las Escrituras tratan este acto de una manera digna, llamándolo honroso y sin mancilla (Hebreos 13:4). Exhortan al pueblo de Dios a mantener puras sus relaciones sexuales. No se debe utilizar el sexo para satisfacer la lujuria, como hacen los impíos (1 Tesalonicenses 4:3-7). También exhortan al hombre casado a que se goce con la mujer de su juventud durante toda la vida (Eclesiastés 9:9): "En su amor recréate siempre" (Proverbios 5:15-19).

1. Un deber que cumplir. En Israel, cuando un hombre se comprometía para casarse, no debía permitir que nada le impidiera el cumplimiento de su propósito. No debía ir a la guerra, para evitar que muriera y otro hombre se casara con su prometida (Deuteronomio 20:7). Durante el primer año de vida matrimonial, no debía desempeñar ninguna tarea que interfiriera con su presencia en el hogar "para alegrar a la mujer que tomó" (Deuteronomio 24:5). Pablo les indicó, tanto a los esposos como a las esposas, que debían estar sexualmente disponibles el uno al otro, sin negarse mutuamente este derecho, a fin de que Satanás no los tentara a permitir afectos extraños por falta de continencia (1 Corintios 7:3-5).

Escenas de una boda. En los lados de este altar se muestran escenas de una boda romana típica. A la izquierda, los contrayentes se toman las manos al terminar la ceremonia. A la derecha, unos niños participan en el desfile rumbo a la casa del esposo, y llevan una ofrenda para un sacrificio pagano.

2. *La promiscuidad y la perversión.* Pablo afirma: "El que se une con una ramera, es un cuerpo con ella. . . Los dos serán una sola carne" (1 Corintios 6:16). Afirma también que el cuerpo es el templo de Cristo. Puesto que una unión sexual promiscua une la carne de las dos personas, esto constituye una profanación del lugar santo que pertenece a Cristo.

En este caso, el término "carne" tiene un significado que va más allá de las partes sexuales. Designa a toda la persona. La unión sexual compromete de forma ineludible a toda la persona, ya se realice dentro del matrimonio o fuera de él. Cuando Dios le ordena a su pueblo que viva de una manera santa (1 Pedro 1:15, 16), está incluyendo la conducta sexual en relación con el matrimonio (1 Tesalonicenses 4:3-6). Esta es la santidad que exigió de los israelitas (Levítico 18; 20:10-21). Toda nuestra persona, y el cuerpo no menos que el alma, ha sido separada para Dios.

La prostitución religiosa de las naciones paganas se fue abriendo paso en Israel con el tiempo. La presencia misma de esta práctica era una profanación del culto a Jehová (1 Samuel 2:22).

La Biblia prohíbe el incesto (Levítico 18:6-18; 20:11, 12). También denuncia como perversas y despreciables ante los ojos de Dios las relaciones homosexuales. De hecho, tales relaciones acarreaban la pena de muerte en Israel (vea Levítico 18:22; 20:13; Deuteronomio 23:18; Romanos 1:26, 27; 1 Corintios 6:9; 1 Timoteo 1:10).

3. Los papeles del hombre y la mujer. En los tiempos bíblicos se pensaba que el matrimonio era un estado en que las personas cumplían naturalmente sus respectivos papeles sexuales. De esta forma, el hombre era cabeza de su familia, y la mujer debía estar sujeta a su autoridad (Salmo 45:11; 1 Pedro 3:4-6). Esta relación basada en el papel correspondiente a cada cual estuvo presente en el mismo comienzo; la mujer fue hecha para que fuera la ayuda del hombre, adecuada a él en ese sentido. Durante todo el Antiguo Testamento, la mujer hallaba su lugar en la sociedad por medio de su padre, luego por medio de su esposo, y después por medio de su hermano mayor o su pariente redentor. Dios obraba por medio de este orden de relaciones para establecer la armonía en la familia y en toda la sociedad.

La sumisión de una mujer hebrea a su esposo no equivalía a una desvalorización de su capacidad personal. Tampoco la rebajaba a un lugar secundario en la sociedad. La mujer "virtuosa" del Antiguo Testamento (Proverbios 31) disfrutaba de la confianza de su marido y del respeto de sus hijos y vecinos. Gozaba de gran libertad para usar su capacidad en el campo económico y atender las necesidades de su familia. Era reconocida como persona sabia y notable maestra. Estaba muy lejos de ser considerada una esclava, tratamiento este último que era el más corriente en las demás culturas del Oriente Medio.

D. El matrimonio como símbolo espiritual. El matrimonio simboliza la unión entre Dios y su pueblo. A Israel se le llama "esposa" del Señor, y El mismo afirma: "Fui yo un marido para ellos" (Jeremías 31:32; compare con Isaías 54:5). Los profetas declaraban que la nación había cometido "fornicación" y "adulterio" cuando se apartaba de Jehová para seguir a los ídolos (Números 25:1; Jueces 2:17; Jeremías 3:20; Ezequiel 16:17; Oseas 1:2). Cuando Dios envió a su pueblo a la cautividad, dijeron que estaba repudiando a su esposa infiel (Isaías 50:1; Jeremías 3:8). Sin embargo, Dios tuvo compasión de su "esposa", Israel, y la exhortó para que volviera a serle fiel (Isaías 54). Así como un esposo se deleita con su esposa (Isaías 62:4, 5), también el Señor se deleitó en hacer de Israel el "pueblo santo", compuesto por sus redimidos (Isaías 62:12).

El Nuevo Testamento describe a la Iglesia como la esposa de Cristo, que se prepara para vivir en el reino eterno (Efesios 5:23). Esta imagen destaca la verdad de que el matrimonio debe ser una unión permanente y exclusiva en amor y fidelidad. El esposo debe amar a su esposa como Cristo ama a la esposa que rescató, y la esposa debe sujetarse a su esposo así como se sujeta a Cristo.

Las costumbres matrimoniales en la Biblia

En los tiempos bíblicos, el primer paso hacia el matrimonio lo daba el hombre, o bien su familia (Génesis 4:19; 6:2; 12:19; 24:67; Exodo 2:1). Generalmente, eran las familias de ambos las que hacían los arreglos para el matrimonio. Así Agar, cabeza de la familia, "le tomó (a Ismael) mujer de la tierra de Egipto" (Génesis 21:21). Cuando Isaac tenía cuarenta años de edad, era muy capaz de escoger su propia esposa (Génesis 25:20); sin embargo, Abraham envió a su siervo a Harán para que se la buscara (Génesis 24).

El siervo partió con dos órdenes estrictas. La primera, que la esposa no debía ser cananea; la segunda, que tendría que abandonar su hogar para vivir con Isaac en la Tierra Prometida. Bajo ninguna circunstancia debía Isaac ir a Harán para vivir según el antiguo modo de vida.

El siervo de Abraham logró que el Señor lo dirigiera en esta elección (Génesis 24:12-32). Luego, según la costumbre mesopotámica, hizo los arreglos con el hermano y con la madre de la joven (Génesis 24:28, 29, 33). Selló el convenio al darles presentes a ellos (la dote) y a Rebeca (Génesis 24:53). Finalmente, pidieron el consentimiento de la propia Rebeca (Génesis 24:57). Este procedimiento es muy similar a las prácticas matrimoniales de los *hurritas*, descritas en los textos antiguos procedentes de Nuzi.

En diferentes circunstancias, ambos hijos de Isaaac, Esaú y Jacob, escogieron sus respectivas esposas. La elección de Esaú les causó mucha amargura a sus padres (Génesis 26:34, 35; 27:46; 28:8, 9); sin embargo, las que eligió Jacob tuvieron su aprobación.

Jacob fue enviado a Labán, el tío suyo que moraba en Harán. Allí actuó en sustitución de la autoridad de su padre para arreglar su matrimonio con Raquel. En vez de darle una dote a Labán, trabajó por ella siete años. Sin embargo, no se acostumbraba permitir que la menor se casara primero, así que Labán engañó a Jacob para que se casara con Lea, su hija mayor. Posteriormente, Jacob aceptó la proposición que le hizo Labán de que trabajara otros siete años para casarse con Raquel.

En aquella región, era frecuente que un hombre sin hijos varones adoptara uno como heredero y le diera su hija en matrimonio. Al hijo adoptivo se le exigía que trabajara para la familia. Si posteriormente le nacía un hijo propio al padre, el hijo adoptivo perdía su herencia, que pasaba al heredero legítimo. Es posible que Labán intentara adoptar a Jacob, pero luego le vinieran hijos varones (Génesis 31:1). Tal vez los hijos de Labán tuvieron envidia de Jacob porque temían que reclamara la herencia. En todo caso, Jacob salió de Harán en forma secreta para regresar a su padre en Canaán.

Raquel se llevó consigo los ídolos de la familia de su padre. Puesto que la posesión de estos ídolos significaba el derecho a la herencia, Labán los persiguió de inmediato, pero Raquel escondió los ídolos de tal modo que Labán no los halló. Para apaciguar a su tío Labán, Jacob prometió no maltratar a las hijas de aquél ni tomar otras esposas (Génesis 31:50).

Debemos notar especialmente la tradición que había en el Antiguo Testamento acerca de la "dote". Como ya observamos, el esposo o la familia de éste le pagaban la dote al padre de la esposa para sellar el convenio de matrimonio (vea Exodo 22:16, 17; Deuteronomio 22:28, 29).

No se pagaba siempre la dote con dinero en efectivo. Se podía pagar con ropa (Jueces 14:8-20) o con algún otro artículo de valor. La más horrenda dote que conocemos fue la que le exigió Saúl a David: pruebas materiales de que había matado a cien filisteos (1 Samuel 18:25).

El pago de la dote no indicaba que le hubieran vendido la esposa al esposo y que, por tanto, fuera propiedad de él. Con ese acto se manifestaba que se comprendía el valor económico de la hija. Más tarde la ley autorizó la práctica de comprar una sierva para que se convirtiera en esposa del hombre. Estas leyes protegían a la mujer del abuso y el maltrato (Exodo 21:7-11).

A veces el esposo o su familia le hacía regalos también a la esposa (Génesis 24:53). En algunas ocasiones, también el padre de la desposada le hacía a ésta un regalo de bodas, como en el caso de Caleb (Josué 15:15-19). En relación con esto, es interesante notar que el faraón de Egipto le dio la ciudad de Gezer como regalo de bodas a su hija, la esposa de Salomón (1 Reyes 9:16).

El festín era parte importante de la ceremonia matrimonial. Generalmente lo ofrecía la familia de la esposa (Génesis 29:22); pero la familia del marido también podía ofrecerla (Jueces 14:10).

Tanto el esposo como la esposa tenían ayudantes para que les sirvieran (Jueces 14:11; Salmo 45:14; Marcos 2:19). Si era una boda real, la esposa le daba sus ayudantes al esposo para que aumentaran el prestigio de su corte (Salmo 45:14).

Aunque la esposa se adornaba con joyas y hermosos ropajes (Salmo 45:13-15; Isaías 49:18), el esposo era el centro de la atención. El salmista no destaca a la esposa, como pudieran hacerlo los occidentales de la época moderna, sino al esposo. De él es de quien dice que se siente feliz y radiante en el día de su boda (Salmo 19:5).

En otras naciones del Medio Oriente, era costumbre que el esposo fuera a vivir con la familia de la esposa. En Israel, en cambio, por lo general era la esposa quien iba al hogar de su esposo para convertirse en parte de su familia. El derecho de herencia le correspondía al varón. Si un israelita sólo tenía hijas y quería conservar la herencia de su familia, sus hijas tenían que casarse dentro de la tribu, pues la herencia no podía ser transferida a otra tribu (Números 36:5-9).

Uno de los aspectos más importantes de la celebración matrimonial era el momento en que se pronunciaba la bendición sobre la nueva unión. Por este motivo, Isaac bendijo a Jacob antes de enviarlo a Harán para que buscara esposa (Génesis 24:60; 28:1-4).

Aunque la Biblia no describe ninguna ceremonia matrimonial, es de suponer que fuera un acontecimiento muy público. Jesús asistió por lo menos a una ceremonia matrimonial y la bendijo. En sus enseñanzas, se refirió a diversos aspectos de los banquetes de bodas, lo que demuestra que las ceremonias matrimoniales eran sucesos familiares para la persona común y corriente (Mateo 22:1-10; 25:1-3; Marcos 2:19, 20; Lucas 14:8).

Ambas familias participaban en la planificación del matrimonio. La familia de la esposa también asumía la responsabilidad de guardar las evidencias de que había llegado virgen al día de la boda, en caso de que su marido quisiera difamarla posteriormente (Deuteronomio 22:13-19).

El levirato

Los israelitas pensaban que era muy importante que el hombre tuviera un heredero. Para preservar la herencia que Dios les había dado, tenían que transmitirla a través de la descendencia familiar (vea Exodo 15:17, 18; Salmo 127:128).

La mujer que no podía tener hijos sentía con frecuencia el reproche de sus vecinas (Génesis 30:1, 2, 23; 1 Samuel 1:6-10; Lucas 1:25). Tanto ella como su familia se retiraban a orar fervorosamente (Génesis 25:21; 1 Samuel 1:10, 12, 26-28).

Era más seria la situación que surgía si el esposo moría antes de que ella hubiera dado a luz un heredero. Para resolver este problema, se inció la práctica del *levirato*. La primera vez que se menciona, se relaciona con la familia de Judá (Génesis 38:8); posteriormente formó parte de la Ley de Moisés (Deuteronomio 25:5-10). Esta ley ordenaba que cuando una mujer quedara viuda sin descendencia el hermano de su difunto esposo se casara con ella. Los hijos de este matrimonio se convertían en herederos del difunto, con un objetivo: "Que el nombre de éste no sea borrado de Israel" (Deuteronomio 25:6). Si un hombre se negaba a casarse con su cuñada viuda, era desacreditado públicamente (Deuteronomio 25:7-10; compare con Rut 4:1-7).

El ejemplo más conocido de levirato fue el matrimonio de Booz con Rut. En este caso, el pariente más cercano no estuvo dispuesto a casarse con Rut. Por consiguiente Booz, que era quien le seguía en cercanía de parentesco, actuó como pariente redentor. Después de comprar las tierras de Elimelec, tomó a Rut por esposa, "para restaurar el nombre del difunto sobre su heredad, para que el nombre del muerto no se borre de entre sus hermanos y de la puerta de su lugar" (Rut 4:10). David formó parte de la tercera generación de descendientes de este matrimonio, de cuyo linaje saldría posteriormente Jesucristo (Rut 4:17; Romanos 1:3).

Las violaciones del matrimonio

Aunque Dios estableció el matrimonio como una santa relación entre un solo hombre y una sola mujer, se corrompió muy pronto, cuando los hombres comenzaron a tomar dos esposas (vea Génesis 4:19). Los matrimonios con personas extranjeras y la adopción de costumbres paganas hicieron más complejo aun el problema.

Las Escrituras relatan que Abraham siguió la costumbre pagana de engendrar con una esclava un hijo para que fuera su heredero, porque su esposa era estéril. Fue la misma Sara quien le suplicó: "Te ruego, pues, que te llegues a mi sierva; quizá tendré hijos de ella. Y atendió Abram el ruego de Sarai" (Génesis 16:2). Poco después, la esclava Agar le dio un hijo a Abraham. Más tarde, Sara también dio a luz un hijo. La arrogancia de Agar irritó a Sara, e hizo que tratara a Agar con dureza. Cuando vio que Ismael se burlaba de su hijo, decidió que ya había soportando suficiente y le exigió a Abraham que despachara a Agar. Puesto que ésta le había dado un hijo, no podía venderla como esclava. Entonces le dio su libertad, le entregó un regalo y la sacó del campamento (Génesis 21:14; 25:6).

Jacob fue otro patriarca hebreo que siguió las costumbres matrimoniales paganas. Tomó dos esposas, porque su tío lo había hecho casarse por medio de engaños con una mujer que no era la que él quería (Génesis 29:21-30). Cuando Raquel vio que era estéril, le dio su sierva a Jacob y dijo: "Yo también tendré hijos de ella" (Génesis 30:3-6). Lea se puso celosa y le dio su propia sierva a Jacob para que tuviera más hijos en nombre de ella (Génesis 30:9-13). Es decir, que Jacob tuvo dos esposas y dos concubinas; sin embargo, a todos sus hijos los reconoció por igual como herederos del pacto (Génesis 46:8-27; 49).

A partir del rey David, los reyes de Israel se complacieron en el lujo de tener muchas esposas y concubinas, aunque Dios les había mandado específicamente que no lo hicieran (Deuteronomio 17:17). Esta práctica les concedía cierta categoría social y los capacitaba para hacer diversas alianzas políticas (2 Samuel 3:2-5; 5:13-16; 12:7-10; 1 Reyes 3:1; 11:1-4).

David cayó en adulterio con Betsabé y luego cometió asesinato a fin de casarse con ella. La pena de muerte era el castigo señalado para este pecado (Levítico 20:10; Deuteronomio 22:22). No obstante Dios, en vez de quitarle la vida a David, decretó que el hijo de su pecado debía morir, y que se levantaría lucha contra él en su propia casa (2 Samuel 12:1-23).

También Salomón fue castigado por desobedecer los mandatos de Dios en relación con el matrimonio. Sus numerosas mujeres extranjeras lo arrastraron a la idolatría (1 Reyes 11:4, 5).

La Ley mosaica protegía a las concubinas y a las esposas del polígamo, pero no aprobaba tal práctica. La ley les concedía una categoría secundaria a las concubinas y a sus hijos, para proteger a estas inocentes víctimas de la concupiscencia desenfrenada (Éxodo 21:7-11; Deuteronomio 21:10-17). Debemos considerar el hecho de que la Ley permitiera estas prácticas, a la luz del comentario hecho por Jesús acerca del divorcio: "Por la dureza de vuestro corazón Moisés os permitió repudiar a vuestras mujeres; mas al principio no fue así" (Mateo 19:8).

Malaquías habló contra el abuso y el abandono que tenía que sufrir una esposa cuando su esposo se iba con mujeres paganas y se divorciaba de ella. El convenio matrimonial la llamaba a dar "descendencia para Dios", pero la infidelidad del hombre lo arrastraba a ignorar sus responsabilidades para con ella (Malaquías 2:11, 14-16).

La Ley mosaica no permitía que los israelitas se casaran con mujeres extranjeras (Deuteronomio 7:3), porque adoraban a otros dioses. Cuando los israelitas regresaron de la cautividad, se les recordó que casarse con mujeres extranjeras era contrario a la Ley de Dios. Esdras y Nehemías hablaron muchas veces sobre este asunto (Esdras 10; Nehemías 10:30; 13:23-28). Nehemías reprendió a su generación, diciéndole: "¿No pecó por esto Salomón, rey de Israel?. . . Aun a él le hicieron pecar las mujeres extranjeras" (Nehemías 13:26; compare con 1 Reyes 11:4, 5). Esdras exigió que todo hombre que tuviera esposa extranjera terminara con aquella relación. Los que se negaron a hacer esto fueron excluidos de la congregación y perdieron sus propiedades (Esdras 10:8).

El tipo de relación entre los sexos que Dios tenía en mente era la *monogamia:* un solo hombre con una sola mujer. Sin embargo, a causa de la degradación de las pasiones humanas, la Ley de Dios tuvo que prohibir específicamente ciertos pecados sexuales (Levítico 18:1-30; 20:10-24; Deuteronomio 27:20-23).

Pareja real. Relieve en piedra caliza pintado. Data de alrededor del 1370 a.C. y representa a una reina egipcia que le ofrece flores al rey. Este se apoya de manera informal sobre un bastón. Esta y otras inscripciones demuestran que la reina desempeñaba un papel secundario en la familia real.

Aun así, algunos hombres acudían desvergonzadamente a las rameras (Génesis 38:15-23; Jueces 16:11). El libro de los Proverbios hace numerosas advertencias contra las mujeres disolutas y malvadas que andaban atrapando a los jóvenes por las calles (Proverbios 2:16-19; 5:1-23; 6:20-35). La prostitución sagrada del culto cananeo, aun siendo un grave abuso, se practicó ocasionalmente en Israel (1 Samuel 2:22-25; 1 Reyes 15:12; 2 Reyes 23:7; Oseas 4:13, 14; compare con Deuteronomio 23:17).

Varias listas bíblicas de pecados comienzan con la inmoralidad sexual (Marcos 7:21; Romanos 1:24-27; 1 Corintios 6:9; Gálatas 5:19; Efesios 5:5). Todo pecado sexual era una burla a la imagen de Dios que hay en el hombre. Dios advertía que destruiría a cualquier sociedad que permitiera que tal pecado continuara (Levítico 18:24-29).

Los solteros

Jesús demostró por medio de sus palabras y de su propia vida de soltero que el matrimonio no es un fin en sí mismo, ni tampoco es esencial para la integridad de una persona. Dios puede llamar a un siervo suyo a no tener cónyuge ni hijos. Es posible que el discípulo de Cristo se vea en la situación de tener que olvidar a sus padres y posesiones por causa del reino de Dios (Lucas 18:29; compare con Mateo 19:29; Marcos 10:29, 30).

Pablo deseaba que todos los hombres pudieran conformarse con vivir sin ataduras matrimoniales, como él (1 Corintios 7:7, 8), que tenía plena libertad e integridad para servir al Señor sin impedimentos (1 Corintios 7:35). No obstante, reconocía que quien no tenga el don de la continencia en este aspecto, debe casarse para no pecar (1 Corintios 7:9, 36).

El divorcio

Los eruditos bíblicos no están de acuerdo sobre la forma en que Jesús y Pablo interpretaban la Ley mosaica en cuanto al divorcio. Sin embargo, las normas del Antiguo Testamento son muy claras.

A. La Ley mosaica. La Ley de Moisés permitía que el hombre se divorciara de su mujer cuando ella no le agradara "por haber hallado en ella alguna cosa indecente" (Deuteronomio 24:1). El interés principal de esta ley era impedir que él la volviera a tomar después de que ella se hubiera casado con otro hombre; esto hubiera sido "abominación delante de Jehová" (Deuteronomio 24:4).

Lo que se pretendía de esta ley era que impidiera el divorcio, en vez de estimularlo. Exigía que se hiciera una "carta de divorcio", documento público que le garantizaba a la mujer el derecho a volverse a casar sin condena civil o religiosa. El divorcio no podía realizarse en privado.

La razón aceptable para conceder el divorcio era "alguna cosa indecente". Cada una de estas "cosas indecentes" o impurezas tenía su propio castigo. Por ejemplo, el adulterio acarreaba la pena de muerte por lapidación.

Si un hombre creía que su esposa no era virgen al casarse con ella, podía llevarla ante los ancianos de la ciudad. Si ellos la declaraban culpable, el castigo que le correspondía era la muerte (Deuteronomio

22:13-21). Sin embargo, si la acusación del hombre contra su mujer era falsa, él era sometido a castigo y se le exigía que le pagara al padre de ella el doble de la dote acostumbrada.

Cuando un hombre sospechaba que su esposa había cometido adulterio, la llevaba ante el sacerdote, quien la sometía a un procedimiento llamado "ley de los celos". Este era un tipo de "juicio de Dios" utilizado en las culturas antiguas del Medio Oriente. A la mujer se le hacía beber aguas amargas. Si ella era inocente, las aguas no la afectaban. Si era culpable, se enfermaba. En ese caso, la mataban mediante apedreamiento, por ser adúltera (Números 5:11-31).

Aunque la Ley de Moisés permitía que el hombre se divorciara de su esposa, a ella no se le permitía divorciarse por ningún motivo. Es probable que muchas huyeran de las circunstancias desagradables sin carta de divorcio (vea Jueces 19:2). Legalmente, la esposa estaba atada a su esposo mientras los dos vivieran o hasta que él se divorciara de ella. Si a la esposa se le daba carta de divorcio podía volverse a casar con cualquier hombre menos con un sacerdote (Levítico 21:7, 14; Ezequiel 44:22).

Sin embargo, al volverse a casar quedaba contaminada con respecto a su primer marido. Es decir, éste no podía volverse a casar con ella, porque desde el punto de vista material, había cometido adulterio contra él (vea Mateo 5:32).

A pesar de las disposiciones que permitían el divorcio, Dios no lo aprobaba. "Porque Jehová Dios de Israel ha dicho que él aborrece el repudio" (Malaquías 2:16). Lo llama "iniquidad" y "deslealtad" (vea Malaquías 2:15).

B. Las enseñanzas de Jesús. En la época de Jesús había mucha confusión en cuanto a los motivos que autorizaban el divorcio. Los rabinos no podían ponerse de acuerdo en cuanto a qué era lo "indecente" de que hablaba Deuteronomio 24:1. Había dos opiniones. Los que seguían al Rabí Shammai pensaban que el adulterio era el único motivo válido de divorcio. Los que seguían al Rabí Hillel aceptaban una serie de razones de divorcio como válidas. Entre ellas había hasta cosas como el no saber cocinar bien.

Los Evangelios recogen cuatro declaraciones de Jesús con respecto al divorcio. En dos de ellas, permite el divorcio en caso de adulterio.

En Mateo 5:32 habla de la posición en que quedan, tanto la mujer como su nuevo esposo: "Pero yo os digo que el que repudia a su mujer, a no ser por causa de fornicación, hace que ella adultere; y el que se casa con la repudiada, comete adulterio." En otra ocasión, habló acerca de la posición del hombre que se divorcia de su mujer:

"Y yo os digo que cualquiera que repudia a su mujer, salvo por causa de fornicación, y se casa con otra, adultera" (Mateo 19:9).

El divorcio en Babilonia

El matrimonio es un rito antiguo; el divorcio también. Tal vez no haya nada tan básico en una cultura, como sus normas con respecto a la relación entre el hombre y la mujer.

Hammurabi, rey de Babilonia entre 1728 y 1686 a.C., dictó un intrincado código legal conocido como "Código de Hammurabi". En esta serie de leyes se tratan todos los aspectos de la vida babilónica, entre ellos el divorcio. Las leyes de Hamurabi relacionadas con el divorcio eran casi tan complicadas como las actuales.

En Babilonia, el hombre sólo tenía que decirle a su mujer: "Tú no eres mi esposa" (*ul assati atti*), o que él la había dejado o se había divorciado de ella. Le daba "dinero para irse", el "dinero de divorcio". Algunas veces también se decía que "le había cortado el borde de las vestiduras" a su esposa. Puesto que las vestiduras simbolizaban a menudo a la persona que las usaba, esto significaba que el esposo había cortado su vínculo matrimonial con ella. Aquellas palabras de él equivalían a un decreto legal de divorcio.

La esposa podía decir que "había odiado" a su marido, o que "lo había dejado", lo cual significaba que se negaba a tener relaciones sexuales con él. Sin embargo, nada de lo que dijera la mujer podía disolver el matrimonio. Ella no tenía facultad para divorciarse de su marido sin el consentimiento de un tribunal.

Sólo había que divorciarse cuando se había formalizado el matrimonio. "Si un hombre adquiere una esposa, pero no redactó los contratos para adquirirla, esa mujer no es esposa", afirma el Código de Hammurabi. Sin embargo, una vez legalizado el matrimonio, el Código especificaba claramente las condiciones y con-secuencias del divorcio. Había leyes de divorcio relacionadas con matrimonios no consumados o sin hijos, matrimonios con sacerdotisas y situaciones en que el esposo era tomado cautivo durante una guerra, o en que la esposa enfermaba gravemente. Siempre se especificaba quién habría de recibir dinero, y cuál era la cantidad.

El esposo podía divorciarse casi a voluntad. Sin embargo, si su esposa no había cometido ninguna falta, él tenía que renunciar a la dote de ella, que con frecuencia era una gran parte de su propiedad. Esto protegía a la esposa de un divorcio caprichoso o a la ligera. Si había mala conducta por parte de uno de los dos, los tribunales debían determinar el castigo. La esposa nunca podía comenzar el proceso de divorcio; tenía que esperar a que su esposo hiciera la solicitud ante los tribunales. Si la esposa no podía probar su propia inocencia y la culpabilidad de su marido, su pena era morir ahogada. No necesitamos decir que la mujer sólo buscaba el divorcio en casos extremos. Si el esposo era declarado culpable, la esposa "no incurría en castigo" por negarse a cumplir los deberes conyugales, y podía regresar a la casa de su padre.

El hombre se podía divorciar de su mujer si ella era "callejera, y descuidaba así su casa y humillaba a su marido". Si se la hallaba culpable de este delito, de acuerdo con la ley, se debía "lanzar a esa mujer al agua".

El matrimonio en Babilonia no tenía nada de sagrado ni de perpetuo. Más bien da la impresión de que era un contrato secular, y no un compromiso religioso y moral.

Estas dos declaraciones parecen permitir el divorcio motivado por la infidelidad. Sin embargo, en otros dos textos, parece que Jesús no aprueba motivo alguno de divorcio. En Marcos 10:11, 12, afirma: "Cualquiera que repudia a su mujer y se casa con otra, comete adulterio contra ella; y si la mujer repudia a su marido y se casa con otro, comete adulterio." En Lucas 16:18, hace una declaración similar: "Todo el que repudia a su mujer, y se casa con otra, adultera; y el que se casa con la repudiada del marido, adultera."

¿Cómo armonizan entre sí las declaraciones de Jesús en que permite el divorcio por causa de infidelidad, y aquellas en que parece que lo prohíbe por completo?

La primera clave se halla en las conversaciones de Jesús con los fariseos (Marcos 10:5-9; Lucas 16:18), en las cuales aclara que el divorcio es algo contrario al plan de Dios respecto del matrimonio. Aunque la Ley de Moisés permitió el divorcio, sólo se trataba de una concesión provisional hecha a disgusto. Jesús hace más dura esta ley al declarar que, aunque los que se divorcian no se hayan sido sexualmente infieles, cometen adulterio delante de Dios si se casan de nuevo con otras personas.

Notemos que estas declaraciones de Jesús aparecen en conversaciones que tuvo con los fariseos en relación con la Ley mosaica. Ellos creían que ésta aprobaba el divorcio por causas ajenas al adulterio (Deuteronomio 24:1-4). El punto principal sostenido por Jesús es que el divorcio nunca debe ser considerado como algo bueno, ni debe tomarse a la ligera. Así, en la declaración que se cita en Lucas 16:18, ni siquiera menciona el tema del adulterio. (Al parecer, Marcos 10:5-9 sólo recoge las palabras de Jesús relacionadas con el tema principal de la conversación.)

En los dos pasajes de Mateo (uno de los cuales es un relato más completo de lo que aparece en Marcos 10), Jesús permite el divorcio sólo por una razón: la inmoralidad, es decir, la relación sexual ilícita. Lo que sostiene es que la persona disuelve su matrimonio al crear una unión sexual con alguien que no es su cónyuge legítimo. En ese caso, el decreto de divorcio simplemente se limita a reflejar el hecho de que el matrimonio ya ha sido quebrantado. El hombre que se divorcia de su mujer por esta causa, no "hace que ella adultere", pues ella ya ha adulterado. El divorcio por faltas contra la castidad libera por lo general al cónyuge inocente para que se vuelva a casar sin incurrir en adulterio (Mateo 19:9), aunque hay quienes discutan esto.

Jesús permitió el divorcio por causa de adulterio, pero no lo exigió. Todo lo contrario: insistió en que el divorcio destruye el plan de Dios con respecto al matrimonio, y abrió la puerta para el arrepentimiento, el perdón y la sanidad de un matrimonio infiel, tal como lo hizo también en los casos de otras relaciones atormentadas por el pecado. El método de Jesús para resolver los problemas del matrimonio es la reconciliación.

Dios había presentado este método de reconciliación y perdón al enviar a Oseas a casarse con una ramera, y decirle después que la rescatara, luego de que ella se vendiera a sí misma a otro hombre. Es la misma forma en que Dios perdonó a Israel. Cuando el pueblo israelita se dedicó a adorar ídolos, lo envió a cautividad, pero lo redimió y lo volvió a llevar hacia sí (Jeremías 3:1-14; compare con Isaías 54).

C. Las enseñanzas de Pablo. En 1 Corintios 7:15, Pablo dice que el cristiano cuyo cónyuge ha desertado del matrimonio, debe quedar libre para formalizar el divorcio: "Si el incrédulo se separa, sepárese; pues no está el hermano o la hermana sujeto a servidumbre en semejante caso." Sin embargo, Pablo anima al creyente a continuar unido en matrimonio, con la esperanza de que el cónyuge incrédulo llegue a ser salvo y los hijos no sufran. Es evidente que Pablo está pensando en personas que se habían casado antes de convertirse, puesto que les dice a los creyentes que no se casen nunca con incrédulos (1 Corintios 7:39; 2 Corintios 6:14-18). Notemos que esta situación es muy diferente a aquella a la que se refirió Jesús en el episodio que se narra en Mateo 19 y en Marcos 10. El les estaba hablando a los maestros de la Ley — en realidad, a los que la malinterpretaban —, mientras que Pablo les hablaba a cristianos, muchos de los cuales eran gentiles y nunca habían vivido bajo la Ley de Moisés. Los lectores de Pablo habían cambiado su estilo de vida después de haberse casado, y estaban tratando de influir en sus cónyuges para que hicieran lo mismo. No sólo estaban obligados a pensar en su propio bienestar, sino también en el de sus cónyuges y en el de sus hijos. Por estas razones, y por el hecho de que el plan de Dios es la monogamia, los matrimonios debían mantenerse unidos.

Pablo estaba tratando de impedir los divorcios, a pesar de que era algo indudablemente común en la cultura grecorromana de la pagana Corinto. Al hacerlo, estaba demostrando que era un vocero verdadero y leal de la Ley.

4
El nacimiento y la infancia

oy, como en los tiempos bíblicos, el nacimiento de un hijo es una ocasión de gran envergadura. Sin embargo, entre los padres de hoy se debaten cuestiones que a los antiguos israelitas les hubieran parecido bastante fuera de lugar. Por ejemplo, nunca habrían concebido preguntas como las siguientes: "¿Debemos tener hijos?" "Si los tenemos, ¿debemos limitar su número a uno o dos?" "Si tenemos hijos, ¿cuándo debemos comenzar?"

La actitud de los antiguos israelitas se podría resumir de la manera siguiente: "Queremos hijos. Los queremos ahora mismo. Tendremos tantos hijos como podamos pues son muy importantes para nosotros. Por cierto, preferiríamos ser ricos en hijos antes que en dinero."

El deseo de tener hijos

El primer mandamiento de Dios fue precisamente éste: "Fructificad y multiplicaos; llenad la tierra, y sojuzgadla" (Génesis 1:28). Las parejas de los tiempos bíblicos tomaban muy en serio este mandamiento. Decía uno de los sabios judíos: "Si uno no se empeña en incrementar la especie, es como si derramara sangre o disminuyera la imagen de Dios."

El mandamiento de Dios que se halla en Génesis 1:28 se consideraba como un gran privilegio y una gran bendición. El deseo de cumplir este mandamiento es el tema de muchos relatos de la Biblia. ¿Quién puede olvidar el hijo que Dios le prometió a Abraham en su vejez (Génesis 15:4; 18:14), o la profecía que Isaías le dio al rey Acaz: "He aquí que la virgen concebirá, y dará a luz un hijo, y llamará su nombre Emanuel" (Isaías 7:14)? Y luego vino el más milagroso de todos los anuncios, hecho a la virgen María: "Y ahora concebirás en tu vientre, y darás a luz un hijo, y llamarás su nombre JESUS" (Lucas 1:31).

Toda pareja judía quería tener hijos. De hecho, esa era la meta del matrimonio. La pareja quería ser recordada y sólo por medio de la progenie se aseguraba esto. El hecho de morir sin descendientes haría que una familia completa se extinguiera y fuera olvidada para siempre. En 2 Samuel 14:4-7 leemos acerca de una viuda que tenía dos hijos. Los hijos entablaron una terrible discusión y el uno mató al otro. Para hacer que el culpable pagara el crimen, los demás parientes insistieron en que éste debía ser ejecutado. Pero la madre imploró que se le perdonara la vida. Ella rogó ante el rey: "Así apagarán el ascua que me ha quedado, no dejando a mi marido nombre ni reliquia sobre la tierra" (2 Samuel 14:7).

Aun hoy, los palestinos árabes consideran que la vida sin hijos no es natural. Cuando a una pareja le nace el primer varón, se alarga el nombre del padre de tal modo que el nombre del bebé llegue a ser parte del nombre del padre. Por ejemplo, un padre cuyo hijo se llama Daniel llega a ser conocido como "Abu Daniel", que significa "Padre de Daniel". Y si un hombre ya tiene dos años de casado, y su esposa no está aún embarazada, bien pudiera dársele el apodo de "Padre de Nadie".

La planificación de los hijos tenía una elevada prioridad en el pensamiento de la pareja. Aun antes de la boda, los parientes discutían acerca de los hijos que les nacerían a los que se iban a casar. La familia de la esposa se reunía para pronunciar una bendición sobre ella, y declaraban el deseo de que ella tuviera muchos hijos. Sólo tenemos que echar una mirada a Génesis 24:60 para ver un cuadro con esa escena. Allí vemos a Rebeca que se está preparando para el largo viaje a Canaán a fin de convertirse en la esposa de Isaac. Antes de salir , la familia se reúne con ella para pronunciar la bendición. El vocero de la familia dice: "Hermana nuestra, sé madre de millares de millares, y posean tus descendientes la puerta de sus enemigos." Una bendición similar se dio a Rut antes de su boda con Booz (Rut 4:11, 12).

La pareja judía tenía la esperanza de que cada nuevo hijo fuera varón, pero aceptaban gustosamente lo que viniera, fuera varón o hembra. No ocurría así con algunas de las culturas circundantes. Las niñas recién nacidas a menudo eran dejadas a la intemperie para que murieran. Algunos padres gentiles aun vendían sus hijas como esclavas.

Los judíos adultos sabían cómo se concebían los hijos, pero raras veces discutían sobre el acto sexual en sí. Más bien resaltaban el hecho de que los hijos eran un don de Dios para la pareja: una "herencia de Jehová" (Salmos 127:3). Tal como lo declaró el salmista, Jehová es Dios "Que se sienta en las alturas, Que se humilla a mirar En el cielo y en la tierra. . . El hace habitar en familia a la estéril, Que se goza en ser madre de hijos" (Salmos 113:5, 6, 9).

La Biblia usa lenguaje comparativo muy interesante para describir a la familia. La madre es como "vid que lleva fruto" (Salmos 128:3). Los hijos son "como saetas en mano del valiente" (Salmos 127:4).

La pareja sin hijos

La historia de Raquel y Lea (esposas de Jacob) ilustra la importancia que tenía para una mujer el darle hijos a su marido (Génesis 30:1-24). Muchas parejas israelitas no podían tener hijos. Hoy sabemos que cuando las parejas no tienen hijos puede deberse a la esterilidad del esposo o de la mujer; pero en el mundo del tiempo bíblico se le echaba la culpa de este problema sólo a la mujer. (Ver una excepción en Deuteronomio 7:14.)

El grito de Raquel: "Dame hijos, o si no, me muero" (Génesis 30:1), expresaba los sentimientos de toda esposa. Y sin duda muchos maridos afectados por este problema estuvieron de acuerdo con la respuesta de Jacob: "¿Soy yo acaso Dios, que te impidió el fruto de tu vientre?" (Génesis 30:2).

La gente del pueblo ridiculizaba a la mujer estéril al decir que eso era una "afrenta" (Lucas 1:25). Aun los que la amaban la trataban como digna de lástima y la colocaban en la misma categoría que las viudas.

Pero la esterilidad era más que un problema físico o social. Al problema se unían profundos significados religiosos. Moisés prometió al pueblo que si ellos obedecían al Señor les vendrían bendiciones. "Bendito serás más que todos los pueblos; no habrá en ti varón ni hembra estéril, ni en tus ganados" (Deuteronomio 7:14). Así que se pensaba que la esterilidad venía como resultado de desobedecer a Dios. Este principio se ve a través de la historia de Israel. Por ejemplo, Abraham declaró abiertamente a Abimelec, rey de Gerar, que Sara era su hermana. Pero Dios le reveló a Abimelec en un sueño que Sara era casada. Cuando el rey le devolvió a Sara a su marido, Abraham le pidió a Dios que le diera hijos como recompensa. "Porque Jehová había cerrado completamente toda matriz de la casa de Abimelec, a causa de Sara mujer de Abraham" (Génesis 20:18). Este pasaje de la Escritura describe una esterilidad que sólo duró poco tiempo. Aunque tal condición podía ser permanente (ver Levítico 20:20, 21). Ya bien fuera temporal o permanente, la esterilidad era considerada como una maldición de Dios.

Es difícil para nosotros imaginar lo devastadores que estos sucesos habrán sido para una esposa que no tuviera hijos. Se sentía espiritualmente arruinada, socialmente desgraciada y sicológicamente deprimida. Ella estaba casada con un marido que quería tener un hijo que le asegurara la continuación del linaje familiar. Ese marido podía continuar amándola, pero ella pensaba que eso era muy poca consolación (ver 1 Samuel 1:6-8). De hecho, era una gran misericordia que le mostrara amor, ya que un esposo resentido podía hacerle intolerable la vida.

La pareja estéril pasaba buena parte de su tiempo examinando sus fracasos pasados para saber si había algún pecado no confesado. La esposa se arrepentía con lágrimas de todo pecado conocido. Después el marido ofrecía un sacrificio adecuado para expiar cualesquiera pecados no conocidos (Levítico 4:2). La esterilidad se convertía en el tema principal de la oración de la pareja. Notemos cómo Isaac le imploró al Señor que le permitiera a su esposa tener un hijo (Génesis 25:21). Ana sollozó delante del Señor y le prometió que si Dios le daba un hijo varón ella lo dedicaría para el servicio del Señor (1 Samuel 1:11).

Estatuilla micénica. En esta escultura de marfil (del siglo trece a.C.), están representados una anciana, una mujer joven y un niñito. Una estrecha relación entre las mujeres más ancianas y las más jóvenes era importante en la estructura familiar antigua, especialmente en el aspecto de la crianza de los hijos.

Cuando se descartaba el pecado como la causa del problema, la esposa quedaba en libertad de averiguar acerca de diversas clases de remedios. Sus parientes, amigos y vecinos podían sugerirle que probara diversas clases de alimentos que estimularan el amor o pociones que habían demostrado ser útiles a las demás. Uno de tales alimentos se menciona en la Biblia: Raquel le pidió a su hermana Lea que le diera "mandrágoras" (Génesis 30:14-16). Las mandrágoras eran plantas a las que se atribuían propiedades que producían fertilidad, usándose con frecuencia como amuletos de amor. Raquel creía que si ella comía este alimento concebiría. En los tiempos rabínicos, las mujeres trataban de dominar su esterilidad cambiando la dieta. Se pensaba que las manzanas y el pescado harían que una persona llegara a ser sexualmente potente para la procreación.

Las excavaciones modernas han puesto al descubierto muchas figuras de arcilla que simbolizan la fertilidad. Se suponía que ayudaban a la mujer a salir embarazada por "magia compasiva". Cada figurilla se modelaba para que tuviera la apariencia de una mujer embarazada. Cuando la mujer estéril la manipulaba y la tenía cerca de ella, esperaba adquirir la semejanza de la figura embarazada.

Las mujeres también usaban amuletos que les garantizaran la fertilidad. Jeremías el profeta habló de otra práctica pagana común: Las mujeres de Judá hacían tortas, hacían libaciones y quemaban incienso a la "reina del cielo" para asegurar la fertilidad (Jeremías 44:17-19; compárese con Jeremías 7:18). La "reina" que se menciona en estos pasajes era probablemente Astarte (*Ashtoreth*), la diosa cananea del amor sexual, la maternidad y la fertilidad. Por supuesto, todas estas prácticas supersticiosas eran abominables ante los ojos de Dios.

Si todos estos remedios no tenían éxito se consideraba que la mujer era permanentemente estéril. En este punto el marido podía tomar medidas drásticas. Podía casarse con otra mujer o (por lo menos en la época patriarcal) usar una esclava para que concibiera hijos que llevaran el nombre de él. Esta fue la razón por la cual Sara dio su sierva Agar a Abraham (Génesis 16:2), y Raquel le pidió a su marido Jacob que se llegara a su sierva Bilha (Génesis 30:3).

Una madre con su hijo. Esta figurilla de una madre con su hijo, elaborada en arcilla cruda, que data de alrededor de 3.000 a.C., procede de Beth-Yerah, norte de Israel. La familia era un tema común en el arte primitivo de los cananeos.

La adopción era también otro método que se empleaba para superar la esterilidad de la esposa. La pareja que no tenía hijos podía adoptar a un niño pequeño o hasta a un adulto como hijo propio. Eliezer damasceno era ya hombre hecho, pero Abraham le dijo a Dios que éste sería su heredero (Génesis 15:2). Las tablillas del siglo quince a.C., descubiertas en Nuzi, muestran que Abraham estaba siguiendo en este sentido una práctica común de las culturas semíticas, aunque tenemos muy pocas referencias bíblicas a ella.

La adopción resolvía muchos problemas. El hijo adoptivo se encargaba de cuidar a la pareja anciana, les daba adecuada sepultura, y heredaba la propiedad de la familia. Sin embargo, si la pareja tenía un hijo después de haber adoptado uno, el hijo propio llegaba a ser el heredero legítimo.

Notemos que cuando nació el hijo de Bilha fue colocado en las rodillas de Raquel. Este acto constituía la parte central de la ceremonia de adopción. El bebé fue entonces adoptado por Raquel como su propio hijo (ver Génesis 30:3). Otras ceremonias de adopción que se hallan en la Biblia ocurrieron en otros países: la hija de Faraón adoptó a Moisés (Exodo 2:10; en Egipto), y Mardoqueo adoptó a Ester (Ester 2:7, 15; en Persia).

Aun con este énfasis en la obtención de hijos, algunas parejas preferían morir sin hijos en vez de recurrir a la adopción o a la poligamia. Este era el plan de Zacarías y Elisabet (Lucas 1:7).

Si una mujer llegaba a quedar encinta luego de muchos años de espera, era probable que llegara a ser la mujer más feliz de la aldea. Habría gran regocijo cuando naciera su bebé. Esto lo vemos de manera muy llamativa en el relato que se refiere a Elisabet, la madre de Juan el Bautista. Lucas escribe: "Y cuando oyeron los vecinos y los parientes que Dios había engrandecido para con ella su misericordia, se regocijaron con ella" (Lucas 1:58). Cuando Raquel finalmente concibió y dio a luz un hijo, exclamó: "Dios ha quitado mi afrenta" (Génesis 30:23). Con la esperanza de que éste no fuera su único hijo, lo llamó *José*, diciendo: "Añádame Jehová otro hijo" (Génesis 30:24).

El malparto

Tal como ocurre en la actualidad, no todas las mujeres de los tiempos bíblicos podían mantener el feto el tiempo necesario para que se lograra. Sin embargo, las referencias bíblicas al malparto son de naturaleza general. Aun cuando lo trágico de malograr la criatura se susurrara en los círculos femeninos, las buenas costumbres del pueblo probablemente impedirían que se hablara del asunto públicamente.

Una mujer en el momento de dar a luz. Esta estatuilla de arcilla del siglo dieciocho a.C., representa a una mujer en el momento del alumbramiento. La figura del centro, que es la que está de parto, está sentada de manera vertical sobre las rodillas de su compañera, mientras la atiende una partera. Algunos eruditos piensan que Génesis 30:3 se refiere a esta manera de dar a luz.

Cuando Job sintió que estaba a punto de perder su familia, su salud y sus posesiones, deseó haber sido "escondido como abortivo, como los pequeñitos que nunca vieron la luz" (Job 3:16). El profeta Jeremías declaró amargamente que le hubiera sido mejor haber muerto en el vientre de su madre y nunca haber nacido (Jeremías 20:17, 18).

Las mujeres de los tiempos bíblicos no habrían usado la terminología médica moderna para describir el malparto. Hubieran intentado explicarlo en otros términos. Le hubieran echado la culpa del problema a algo que habrían comido o bebido. Por ejemplo, durante los días del profeta Eliseo, las mujeres de Jericó estaban convencidas de que las aguas del manantial cercano las estaban haciendo abortar (2 Reyes 2:19, 20).

Algunas veces el malparto era provocado accidentalmente. La mujer embarazada podía ser empujada o pateada por un animal. Ella podía quedar atrapada entre dos hombres que estuvieran peleando. Según la ley de Moisés se multaba a la persona que le infligiera el golpe, en caso de que ella abortara. Si el malparto tenía complicaciones y la mujer moría como resultado de él, la ley imponía la pena de muerte al que la hubiera hecho abortar (Exodo 21:22, 23).

El acontecimiento bendito

Los hebreos conocían algo del proceso del crecimiento, aun sin tener a la mano los datos médicos de que disponemos hoy. El salmista

describió poéticamente el papel de Dios en este proceso cuando
escribió: "Porque tú formaste mis entrañas; tú me hiciste en el vientre
de mi madre. Te alabaré; porque formidables, maravillosas son tus
obras; estoy maravillado, y mi alma lo sabe muy bien. No fue
encubierto de ti mi cuerpo, bien que en oculto fui formado, y
entretejido en lo más profundo de la tierra. Mi embrión vieron tus
ojos, y en tu libro estaban escritas todas aquellas cosas que fueron
luego formadas, sin faltar una de ellas" (Salmos 139:13-16).

A. El dolor en el parto. Faraón de Egipto les preguntó a dos
parteras por qué habían desobedecido ellas sus órdenes de matar a los
niños hebreos. Ellas respondieron: "Porque las mujeres hebreas no
son como las egipcias; pues son robustas, y dan a luz antes que la
partera venga a ellas" (Exodo 1:19).

¿Cómo debemos interpretar lo que dijeron las parteras? ¿Inventa-
ron ellas simplemente esta historia por su temor de Dios? (Exodo
1:17). Y si decían la verdad, ¿qué era lo que querían decir? No
podemos suponer que todas las madres hebreas tuvieran partos sin
dolor pues otros pasajes bíblicos no respaldan esta teoría.

Cuando Adán y Eva pecaron contra Dios en el huerto del Edén,
parte de la maldición consistió en que las mujeres experimentarían
dolor al dar a luz sus hijos (Génesis 3:16). Los dolores de parto y los
gritos de la mujer que está de parto eran comunes a toda aldea judía.

Cuando los profetas trataron de describir el juicio de Dios, usaron
con frecuencia la imagen de un mujer que está de parto. Por ejemplo,
Isaías dijo: "Como la mujer encinta cuando se acerca el alumbramiento gime y da gritos en su dolores, así hemos sido delante de ti, oh
Jehová. Concebimos, tuvimos dolores de parto, dimos a luz viento"
(Isaías 26:17, 18). Similarmente, Jeremías dijo: "Porque oí una voz
como de mujer que está de parto, angustia como de primeriza; voz de
la hija de Sion que lamenta y extiende sus manos, diciendo: ¡Ay ahora
de mí!" (Jeremías 4:31).

Los dolores de parto se presentaban algunas veces acompañados
de complicaciones. El Antiguo Testamento registra varias ocasiones
en que la vida de la madre estuvo en peligro. Por ejemplo, el hijo que
le nació a Tamar se llamó Fares, que significa "brecha". La partera
notó que el niño había hecho una brecha muy grande en la madre
(Génesis 38:28). La amada esposa de Jacob, Raquel, murió cuando dio
a luz a Benjamín, su segundo hijo (Génesis 35:18-20). La esposa de
Finees también perdió la vida en el parto, aunque el hijo se salvó
(1 Samuel 4:20). El nacimiento de un hijo era doloroso y a menudo
difícil. La madre sufría, pues no contaba ni con los beneficios de los
calmantes ni con la compleja asistencia médica modernos.

B. El parto. En algunas culturas antiguas, la madre se acostaba para dar a luz el hijo; en otras, se ponía en cuclillas para dar a luz. Aunque la Escritura dice poco acerca de este aspecto del parto, hay una referencia [en la Biblia inglesa] a un taburete para el parto (Exodo 1:16) que implica que la madre no se acostaba. Es una pena que no se describa este taburete de partos; aunque tales taburetes son bien descritos en los relatos de otras culturas del Medio Oriente.

La madre por lo general era asistida por una partera, es decir, una mujer especialmente experimentada en ayudar en el momento del parto. A veces se trataba de mujeres que eran madres; habiendo aprendido en carne propia la clase de ayuda que se necesitaba. Algunas parteras eran profesionales que se dedicaban exclusivamente a estas labores.

La partera cumplía varias funciones. Además de ayudar a dar a luz al bebé, aconsejaba y animaba a la mujer durante el parto. En varias ocasiones, la Escritura registra las palabras de las parteras cuando ellas animaban y consolaban a las parturientas (Génesis 35:17; 1 Samuel 4:20). Si nacían gemelos, la partera tenía la responsabilidad de establecer la distinción entre el que naciera primero y el que naciera último. Cuando Tamar dio a luz sus mellizos, la partera tomó un hilo de grana y lo ató a la mano del primogénito mientras le decía a la madre: "Este salió primero" (Génesis 38:28).

La madre no siempre contaba con el beneficio de una partera. Si tenía el bebé prematuramente, o si estaba fuera de su ambiente normal, tendría que enfrentarse sola a esta severa prueba. La Biblia da a entender que María, la madre de Jesús, estaba sola con su marido cuando dio a luz (Lucas 2:7).

En los tiempos bíblicos, la criatura no comenzaba la vida en el ambiente esterilizado de un hospital. Generalmente nacía en un hogar donde no había condiciones sanitarias. Probablemente nacía en un suelo sucio. Los animales de la granja algunas veces compartían las mismas habitaciones donde vivían las personas. El agua que se usaba para lavar al niño estaba a menudo contaminada; la ropa que se usaba para envolverlo se había lavado en esa misma agua contaminada. Las moscas portadoras de enfermedades y otros insectos hallaban rápidamente al niño. El establo donde nació Jesús pudo no haber sido peor que algunos de los hogares de Belén.

El recién nacido dormía con la madre en la misma cama, a fin de que ella pudiera alimentarlo durante la noche. Sin embargo, esto podía tener trágicos resultados. En una ocasión se le pidió a Salomón que juzgara un caso de litigio de dos rameras que vivían en la misma casa. Una de ellas era de sueño pesado y durante la noche se había volteado sin querer sobre su bebé provocándole la muerte. Cuando ella descubrió que su bebé había muerto, lo cambió secretamente por el de la otra. Salomón logró determinar quién era la madre del niño vivo (1 Reyes 3:16-28).

Al considerar las pésimas condiciones de vida existentes, la mortalidad infantil debe de haber sido muy elevada. Los estudios demográficos que se han hecho de Egipto y de otras culturas antiguas indican que el promedio de mortalidad infantil llegaba al 90 por ciento. Los múltiples lugares de sepulturas para niños que se han puesto al descubierto en varios sitios arqueológicos de Israel tienden a apoyar esta suposición. También es importante recordar que la ceremonia de redención del primogénito no se realizaba hasta que el niño tuviera treinta días de nacido. Si había sobrevivido este primer mes, eran buenas las posibilidades de que creciera hasta llegar a la vida adulta.

Había varias tareas que tenían que realizarse inmediatamente después del parto. Hasta hace poco prevalecía entre los árabes palestinos una costumbre que puede que refleje el procedimiento de los tiempos bíblicos. En primer lugar, se cortaba y se ataba el cordón umbilical. Luego la partera levantaba al bebé y le frotaba todo el cuerpo con sal, agua y aceite. A la criatura se la envolvía ceñidamente con ropa o con trapos limpios durante siete días, repitiéndose el proceso de nuevo. Esto continuaba hasta que el niño cumpliera cuarenta días de nacido. El profeta Ezequiel mencionó la sal, la limpieza y las fajas en relación con el nacimiento de un niño (Ezequiel 16:4). Lucas señaló que María "dio a luz a su hijo primogénito, y lo envolvió en pañales" (Lucas 2:7).

Los deberes de la partera terminaban al entregar el bebé a la madre para que lo criara. La madre judía consideraba que era un privilegio y un deber darle el pecho a su bebé. Los niños se alimentaban del pecho durante su primer año o un poco más. Pero algunas veces, la madre no estaba físicamente en condiciones de alimentar a su hijo. Cuando esto ocurría, se buscaba una nodriza. Esta nodriza era otra madre que estuviera criando a su propio hijo (y que por lo general no perteneciera a la familia del bebé), quien le daba al niño la leche de su propio pecho.

La Biblia relata algo acerca de tres de estas nodrizas. La hija de Faraón halló al niño Moisés entre los juncos de las riberas del Nilo. Una de sus primeras órdenes fue que le buscaran una nodriza de entre las mujeres hebreas para que criara al niño. La nodriza de Moisés fue su propia madre (Exodo 2:7, 8). La Biblia describe una escena conmovedora que muestra la alta estima en que se tenía a las nodrizas: "Entonces murió Débora, ama de Rebeca, y fue sepultada al pie de Bet-el, debajo de una encina, la cual fue llamada Alón-bacut (es decir, La encina del llanto)" (Génesis 35:8). Otra nodriza trabajó con la familia real en Jerusalén. Esta arriesgó su vida al esconder a un niño que sería heredero del trono cuando tuviera suficiente edad para llegar a ser rey (2 Reyes 11:1-3).

La partera le anunciaba a la madre que el niño había nacido y que estaba vivo y bien. Si el padre estaba trabajando en el campo o en el mercado, ella se lo mandaba a decir. Jeremías se refirió a esta práctica cuando dijo: "Maldito el hombre que dio nuevas a mi padre, diciendo: Hijo varón te ha nacido, haciéndole alegrarse así mucho" (Jeremías 20:15).

Los vecinos de la familia preguntaban si el recién nacido era varón. El anuncio del nacimiento era sencillo. Decía: "Varón es concebido" (Job 3:3). O "Hijo varón te ha nacido" (Jeremías 20:15). Esto nos recuerda el anuncio que se hizo del Mesías: ". . . un niño nos es nacido, hijo nos es dado" (Isaías 9:6).

La manera de ponerle nombre a un niño

Los nombres eran muy importantes en el mundo del Antiguo Testamento. Cada nombre hebreo tenía un significado, y llegaba a ser parte importante de la vida del niño. El pueblo judío creía que ellos primero tenían que saber el nombre de la persona antes de poder conocer a la persona misma. Sólo tenemos que ver el nombre de *Jacob*, que significa "el que agarra el calcañar", para ver la importancia del nombre. ¡Saber el nombre de Jacob era conocer su carácter básico! Por tanto, el acto de escoger un nombre para un niño era una seria responsabilidad.

Después del exilio, el significado del nombre fue de menor importancia. A un niño se le podía dar el nombre de *Daniel*, no por su significado, sino en honor al famoso siervo de Dios. Pero hubo excepciones, aun durante este tiempo. Por ejemplo, el nombre *Jesús* es una forma griega del nombre hebreo *Josué*, que significa "salvación de Jehová".

El nombre del niño generalmente era escogido por uno de los padres o por los dos. La Biblia indica que la madre era la que generalmente le ponía el nombre al niño. Tal como ocurre hoy, otras personas tomaban para sí la responsabilidad de ayudar en esta importante tarea. Si los vecinos de Elisabet y sus parientes hubieran logrado imponerse, su hijo se hubiera llamado "Zacarías". Pero Elisabet protestó, e insistió en que el niño sería llamado "Juan" (Lucas 1:60, 61).

En ninguna parte de la Biblia se dice específicamente cuándo había que ponerle el nombre al niño. En algunos caso, la madre le ponía el nombre el día de su nacimiento (por ejemplo, 1 Samuel 4:21). En los tiempos del Nuevo Testamento, al niño varón por lo general se le ponía el nombre al octavo día, al circuncidarlo (ver Lucas 1:59; 2:21).

La mayoría de los nombres bíblicos son *teofóricos* [es decir, que tienen un significado relacionado con Dios]. Al formarse un nombre compuesto por medio de la unión de un nombre divino con un sustantivo o un verbo, se obtiene una oración para ser usada como nombre. Por ejemplo, el nombre *Jonatán* significa "El Señor ha dado". El nombre *Elías* se refiere a la lealtad del profeta: "Mi Dios [es] el Señor." Esto también ocurría con muchos nombres paganos. Muchos nombres del Antiguo Testamento incluyen la palabra *baal*. El nieto del rey Saúl se llamaba Merib-baal (1 Crónicas 8:34).

Las circunstancias que rodeaban el nacimiento de un niño algunas veces influían en la elección de su nombre. Por ejemplo, si una mujer iba al pozo de agua y daba a luz allí, lo podía llamar *Beera*, que significa "[nacido en el] pozo". Un bebé que naciera durante una tormenta de invierno podía llamarse *Barac*, es decir, "relámpago". Cuando los filisteos arrebataron a Israel el arca del pacto, una madre dio a luz un hijo. Este niño recibió el nombre de *Icabod*. En palabras de la madre: "Traspasada es la gloria *[cabod]* de Israel" (1 Samuel 4:21).

Los nombres de los animales se aplicaban comúnmente a los niños. *Raquel* significa "oveja". *Débora* es la palabra hebrea que significa "abeja". *Caleb* significa "perro"; y *Acbor*, ratón. Sólo podemos suponer por qué se usaban estos nombres de animales. Tal vez expresaban algún deseo de los padres. Una madre podía llamar a su niña recién nacida *Débora*, porque deseaba que ella al crecer llegara a ser una "abeja" industriosa y ocupada.

Iknatón, Nefertiti y sus hijos. Esta placa pintada en piedra es un retrato del faraón Iknatón (Siglo XIV a.C.), su reina consorte y su tres hijas. La reina está sentada con dos de sus hijas, mientras el rey entrega un objeto a la mayor.

A menudo el nombre se refería a un rasgo de la personalidad que los padres esperaban que describiría al hijo cuando llegara a la edad adulta. Nombres como *Sobec* ("Preeminente") y *Azán* ("Fuerte") pueden entenderse mejor teniendo en cuenta este hecho. Sin embargo, en otros casos, el nombre parece ser exactamente lo contrario de lo que los padres querían que el niño fuera. *Gareb* se refiere a una condición "despreciable", y *Nabal* significa "necio". Algunas culturas primitivas creían que los demonios ansían poseer a los niños hermosos; así que les ponían nombres que sonaran desagradables. Tal vez nombres como "Despreciable" y "Necio" se hubieran usado en tiempos bíblicos para apartar a los malos espíritus.

Hoy es común la práctica de dar al primogénito el nombre del padre, pero eso no era así en los tiempos bíblicos, Uno sólo tiene que examinar las diversas genealogías que aparecen en las Escrituras para ver esto. Por ejemplo, desde Booz hasta el último rey de Judá, se relacionan los nombres de veinticuatro reyes. ¡Y no hay dos de ellos que sean iguales!

Había algunos nombres que eran más populares que otros. Por ejemplo, por lo menos una docena de hombres que se mencionan en el Antiguo Testamento se llamaban *Abdías* ("siervo de Jehová"). Para distinguir a muchos hijos que tuvieran el mismo nombre, se podía agregar el nombre del padre al del hijo. El nombre ampliado del profeta Micaías era "Micaías ben Imla", o "Micaías el hijo de Imla". El nombre del apóstol Pedro antes que Jesús se lo cambiara era "Simón Bar-Jonás", o "Simón el hijo de Jonás". Esta costumbre también servía para que el hijo se acordara de sus antepasados.

Otra manera para distinguir a las personas que tuvieran el mismo nombre consistía en identificar a cada persona con el nombre de su pueblo natal. El padre de David se llamaba "Isaí de Belén" (1 Samuel 16:1). El gigante que David mató era "Goliat de Gat" (1 Samuel 17:4). Una de las más leales partidarias de Jesús fue María Magdalena, es decir, "María de Magdala" (Mateo 28:1). Judas Iscariote, el discípulo que traicionó a Jesús, procedía del pueblo de *Kerioth*.

Algunas veces se le cambiaba el nombre a una persona después que llegaba a la vida adulta. El mismo individuo podía pedir que se le cambiara el nombre. La suegra de Rut, Noemí, trató de que se le cambiara el nombre por el de *Mara*, por cuanto dijo: ". . . en grande amargura [*mara*] me ha puesto el Todopoderoso" (Rut 1:20). La Biblia no dice si sus vecinos tomaron en serio lo que ella dijo. El joven fariseo que se llamaba Saulo ya había sido cristiano durante varios años antes de que cambiara su nombre por el de Pablo después de ganar para el Señor a un importante oficial llamado Sergio Paulo en la isla de Chipre (Hechos 13:1-13).

En otras ocasiones, algún otro fue quien dio a la persona un nuevo nombre. Un ángel del Señor dio a Jacob su nuevo nombre, *Israel* (Génesis 32:26). Jesús cambió el nombre de Simón por el de *Pedro* (Mateo 16:17, 18). No hay certidumbre en cuanto a la frecuencia con que las personas cambiaban de nombre en tiempos bíblicos.

Ritos relacionados con el nacimiento

La antigua cultura judía observaba ritos en relación con el nacimiento. El niño judío nacía en una comunidad profundamente religiosa. Los siguientes ritos tenían especial sentido religioso en el desarrollo del niño.

A. La circuncisión de los varones. Muchas culturas del mundo practican actualmente la circuncisión por razones profilácticas. Algunas culturas primitivas someten a este rito a recién nacidos y a niños pequeños, mientras que otras esperan hasta que los muchachos lleguen a la pubertad o cuando estén listos para el matrimonio. Estas tradiciones han permanecido en gran parte invariables durante siglos. Prácticas similares eran comunes en el Cercano Oriente en los tiempos bíblicos. Puesto que los filisteos no practicaban la circuncisión, los judíos los ridiculizaban (vea 1 Samuel 17:26). En algunos casos, los israelitas se circuncidaban cuando ya eran adultos (Josué 5:2-5).

La circuncición significaba que el pequeñuelo estaba siendo introducido en la comunidad del pacto. El Señor le dijo a Abraham: "Y de edad de ocho días será circuncidado todo varón entre vosotros. . . y estará mi pacto en vuestra carne por pacto perpetuo" (Génesis 17:12, 13). Por tanto, esta práctica se observaba con mucho cuidado. Se consideraba que la persona incircuncisa era pagana. Cuando la cultura griega llegó a Palestina dos siglos antes de Cristo, muchos judíos abandonaron las costumbres judías. Algunos hombres se sometieron a una operación que los hacía aparecer de nuevo como incircuncisos. Esto equivalía a la apostasía.

La ley de Moisés no estipulaba quién había de realizar la operación en el niño. Se supone generalmente que un hombre adulto le cortaba el prepucio. Por lo menos en una ocasión, la Escritura registra que una mujer lo hizo; pero las circunstancias que hubo en aquel momento en particular no fueron comunes, pues parece que el marido estaba agonizando (ver Exodo 4:25). La expresión "el que circundida" y la palabra "suegro" son traducciones de una misma palabra hebrea. Esto probablemente se remonta a los días anteriores al pacto, cuando el joven era preparado para el matrimonio por su futuro suegro.

La partera hebrea

Una *partera* es una mujer que ayuda a la madre en el alumbramiento. En tiempos antiguos, los deberes de una partera consistían en cortar el cordón umbilical, lavar al bebé, frotarlo con sal, envolverlo en pañales, y luego presentarlo al padre. En una ocasión una partera sugirió un nombre para el recién nacido (Rut 4:17). La habilidad y la dedicación de estas mujeres cuando ayudaban en el parto hacía que su profesión fuera muy honrosa. La partera era a menudo amiga y vecina de la familia, y algunas veces era uno de los miembros de la familia.

La partería es una antigua práctica que se menciona por primera vez en la Biblia en el tiempo de Jacob (Génesis 35:17). La partera era experimentada en manejar las dificultades relacionadas con partos múltiples, tal como lo sugiere el caso en que Tamar dio a luz a Fares y a Zara (Génesis 38:27-30).

La Biblia menciona dos mujeres que murieron durante el alumbramiento: Raquel, quien murió al dar a luz a Benjamín (Génesis 35:17), y la nuera de Elí, cuando nació Icabod (1 Samuel 4:20, 21). En cada caso, el pronto anuncio de la partera permitió que la madre le diera nombre a su hijo.

Las dos parteras más famosas de la Biblia fueron Sifra y Fúa. Se cree que fueron las principales parteras que sirvieron a las mujeres hebreas durante la esclavitud en Egipto. Josefo y otros creen que estas fueron mujeres egipcias a quienes Faraón encomendó ejecutar sus órdenes de matar a los bebés varones de las hebreas. Pero las parteras desafiaron a Faraón con la excusa de que las hebreas eran más robustas y tenían mejor salud durante el alumbramiento que las egipcias. (Esto implicaba que sería difícil para las parteras afirmar que los bebés habían muerto en el parto.)

La circuncisión es una operación sumamente delicada. En nuestra sociedad la hace un cirujano. En los tiempos del Nuevo Testamento este rito era probablemente realizado por un especialista que no pertenecía al grupo familiar (1 Macabeos 1:61).

Al principio se usaron en esta operación instrumentos toscos tales como cuchillos de pedernal. Aun después de haberse fabricado los cuchillos de metal, se usaban los de pedernal (Exodo 4:25; Josué 5:2). Lentamente se fue abandonando esta tradición. En los tiempos del Nuevo Testamento, los cuchillos de pedernal habían sido sustituidos por los de metal.

Como ya vimos, el muchacho judío debía ser circuncidado al octavo día. Dios dio primero este mandamiento a Abraham (Génesis 17:12), y lo repitió a Moisés en el desierto (Levítico 12:3). En períodos anteriores, los israelitas no siempre obedecieron este mandamiento. Pero después del exilio, la ley se observó cuidadosamente. Esta práctica continuó a través del Nuevo Testamento (ver Lucas 2:21) y aún permanece hoy como sello distintivo del judaísmo. Cuando el octavo día del niño caía en día de reposo, aun así se celebraba el rito de la circuncisión, a pesar de las numerosas normas y regulaciones relacionadas con la suspensión de las actividades diarias que se habían desarrollado para mantener santo el día de reposo.

Recientes investigaciones han confirmado que el tiempo más seguro para realizar la circuncisión es el octavo día de la vida. La vitamina K, que hace que la sangre se coagule, no se produce en cantidad suficiente hasta un tiempo que va entre los días quinto y séptimo. El día octavo el cuerpo tiene 10 por ciento más que la cantidad normal de una sustancia fisiológica llamada *protrombina*, que también es importante para la coagulación de la sangre.

B. La purificación de la madre. Se pensaba que el parto hacía que la mujer quedara ceremonialmente impura. Esto significaba que no se le permitía participar en ninguna ceremonia religiosa ni tocar ningún objeto sagrado. Los eruditos bíblicos han especulado desde hace mucho tiempo acerca de la razón de ello. ¿Se hacía para destacar que el niño había nacido en pecado? ¿Demostraba que los actos sexuales y el nacimiento de un hijo eran en alguna forma pecaminosos? ¿O este precepto estaba sencillamente diseñado para proteger a la madre, a fin de impedir que ella se sintiera obligada a estar fuera de su hogar poco después del nacimiento de un hijo? La misma Escritura no nos ofrece la razón. Sin embargo, es importante recordar que cualquiera, hombre o mujer, era considerado ceremonialmente impuro, si tenía flujo de sangre, de semen o de pus (ver Levítico 12:15). Otras culturas de los tiempos bíblicos tenían conceptos similares.

Según el capítulo 12 de Levítico, la madre era considerada inmunda durante cuarenta días, después de dar a luz un hijo varón; y si le nacía una hija, el tiempo de su inmundicia era doble. Esta práctica, repetimos, no tiene ninguna explicación.

Escuelas griegas y romanas

Los antiguos romanos y griegos tenían sistemas escolares complejos. No era obligatorio acudir a las escuelas, ni éstas eran administradas por el gobierno. Aun así, la instrucción era popular.

En el sistema griego, se enviaba a los varones a la escuela a los seis años de edad. El maestro era el propietario y el administrador de la escuela. Aparentemente los griegos no tenían internados.

Los griegos no enseñaban lenguas extranjeras. (¡Consideraban que la lengua de ellos era la suprema!) Su educación tenía tres facetas principales: música, gimnasia y escritura. A todos los niños griegos se les enseñaba a tocar la lira. Las madres griegas enseñaban a sus hijas a leer y a escribir, y también les enseñaban a tejer, danzar y tocar un instrumento musical. Aunque parezca extraño, las pocas mujeres griegas bien educadas eran por lo general prostitutas para los ricos.

Los oradores griegos se ganaban la vida enseñando en las aulas de las escuelas o aun en las calles. Algunos de estos maestros errantes — Sócrates, por ejemplo — llegaron a ser famosos. Los muchachos griegos podían asistir a la escuela hasta los 16 años de edad. A partir de esa edad se esperaba que se entrenaran en deportes.

A diferencia de los griegos, los romanos utilizaban a personas de otras nacionalidades para enseñar a sus hijos. Con frecuencia una nodriza griega comenzaba a darle instrucción al niño. Muchachos y muchachas entraban formalmente a la escuela a la edad de siete años. Si habían marchado bien, a los 13 años de edad entraban en la educación secundaria. En el año 30 d.C., había más de veinte escuelas secundarias en Roma. Aun la educación secundaria romana se ofrecía en griego, y los maestros eran por lo general esclavos o libertos griegos. Al igual que lo hacían los griegos, los romanos tenían maestros más avanzados que viajaban de escuela en escuela.

Al fin de este período, después que la madre presentaba una ofrenda por el pecado y un holocausto, se la declaraba ceremonialmente limpia. Esta tradición es extraña, puesto que los sacrificios eran presentados normalmente por los hombres. Además, la ley permitía a la mujer una considerable libertad para que eligiera el tipo de animal que sacrificaría, lo cual dependía de su condición social. Se esperaba que una mujer rica presentara un cordero para el holocausto; pero si la familia era sumamente pobre, se permitía que presentara aun dos tórtolas. Es interesante que María, la madre de Jesús, sólo pudo ofrecer un par de tórtolas, cuando se le cumplieron los días de la purificación (Lucas 2:22-24).

C. La redención del primogénito. Puesto que todo primogénito era posesión de Dios, era necesario que la familia redimiera, es decir, le comprara a Dios el hijo primogénito. El precio de redención era cinco siclos de plata, que se daban a los sacerdotes cuando el niño cumplía un mes de edad (Números 18:15, 16).

La Biblia no nos dice nada acerca de la ceremonia en sí, pero en los tiempos rabínicos se había establecido el siguiente procedimiento: la alegre ocasión se celebraba el día 31 de la vida del niño. (Si el día 31 caía en día de reposo, la ceremonia se posponía para un día después.) La ceremonia tenía lugar en casa del niño con la presencia de un sacerdote y de otros invitados. El rito comenzaba cuando el padre presentaba a su hijo ante el sacerdote. El sacerdote preguntaba al padre: "¿Quiere usted redimir al hijo suyo, o quiere dejarlo conmigo?" El padre respondía que quería redimirlo, y entregaba las cinco monedas de plata al sacerdote. Cuando se devolvía el niño al padre, éste daba las gracias a Dios. El sacerdote respondía al padre con la siguiente declaración: "¡Su hijo está redimido! ¡Su hijo está redimido! ¡Su hijo está redimido!" Después que el sacerdote pronunciaba una bendición sobre el niño, se unía a los invitados para participar en un banquete.

Si el niño era huérfano al nacer, el deber de redimirlo le correspondía a uno de sus parientes varones.

El niño había sobrevivido esas primeras semanas críticas. Sus padres le habían dado nombre y habían cumplido todos los ritos esenciales. La madre continuaría criándolo hasta que tuviera dos o tres años de edad. En ese tiempo sería destetado y cruzaría la línea que separaba la infancia de la niñez.

Estatuilla de una mujer embarazada. Las mujeres que no podían concebir conservaban con frecuencia figuras de fertilidad que tenían apariencia de mujeres embarazadas. Se suponía que estas figuras ayudaban a producir el embarazo por "magia compasiva". Esta estatuilla de marfil representa a una mujer embarazada con un ombligo exagerado (aldededor del 3.500 a.C.).

5
La niñez y la adolescencia

os individuos de los tiempos bíblicos respetaban a sus mayores por considerarlos una fuente de sabiduría y de consejo. Ellos ponían atención al siguiente mandamiento de Dios: "Delante de las canas te levantarás, y honrarás el rostro del anciano" (Levítico 19:32). La mayor parte de las decisiones de la comunidad eran tomadas por los ancianos de la aldea, y con frecuencia estas decisiones afectaban a todo el clan (ver Exodo 3:16-18). El título *anciano*, que realmente significaba *el barbudo*, se refería a una persona de edad. Los israelitas pensaban que la persona adquiría sabiduría según envejecía; siendo por tanto un individuo valioso para la familia (Deuteronomio 32:7; Eclesiástico 5:6).

Debemos recordar este concepto que se tenía de los ancianos al comenzar a estudiar a los hijos de los tiempos bíblicos. En nuestra sociedad, los niños son con frecuencia el centro de la atención y de la actividad. En tiempos antiguos, los niños eran también importantes; pero no podían contradecir a sus padres ni a sus mayores, ni podían expresar libremente sus opiniones. Los padres estaban determinados a cumplir este precepto: "Instruye al niño en su camino" (Proverbios

La niñez y la instrucción. Este relieve tomado de un sarcófago romano muestra el progreso de un niño, desde la crianza cuando se alimentaba del pecho de la madre (izquierda) hasta que el muchacho está ya listo para comenzar en la escuela (derecha).

22:6). Parte de este camino consistía en enseñar a los hijos el respeto a sus padres y mayores. Aun los adultos jóvenes no contradecían las declaraciones que hicieran sus mayores. Por ejemplo, Eliú comenzó su discurso a Job y a sus amigos en tono apologético, al decir: "Yo soy joven, y vosotros ancianos; Por tanto, he tenido miedo, y he temido declararos mi opinión" (Job 32:6). A la luz de esto podemos entender mejor por qué Jeremías vaciló en llegar a ser profeta. El dijo: "¡Ah! ¡ah, Señor Jehová! He aquí, no sé hablar, porque soy niño" (Jeremías 1:6). Los discípulos de Jesús reflejaron esta misma actitud cuando intentaron protegerlo de los niños. Pero Jesús les dijo: "Dejad a los niños venir a mí, y no se lo impidáis; porque de los tales es el reino de Dios" (Lucas 18:16).

La apariencia física y el crecimiento

Los Evangelios dan poca información acerca de la apariencia física de Jesús, bien en la edad adulta o cuando era niño. Pero la Biblia ofrece descripciones superficiales de algunos individuos. Por ejemplo, de David se dice que era rubio: ". . . era rubio, hermoso de ojos, y de buen parecer" (1 Samuel 16:12). Sin embargo, no sabemos a qué tipo de persona tenían los israelitas por bien parecido.

Algunos murales y bajo relieves que datan del tiempo del Antiguo Testamento muestran cómo hubiera podido ser la apariencia de los israelitas. El problema está en que no podemos determinar cuáles eran los rasgos reales y cuáles los imaginarios. Aun así, estos cuadros agregan una pieza más al rompecabezas.

Las excavaciones arqueológicas ofrecen evidencia adicional de las características físicas de los israelitas. A continuación daremos una ojeada a algunas de estas claves.

A. **Etapas de crecimiento.** Los hebreos usaban varias palabras para describir las etapas de crecimiento del niño. A un niño muy pequeño se le daba el nombre de "amamantado", indicando que aún se alimentaba del pecho de la madre. Luego se hacía referencia a él como "destetado". Este cambio era un acontecimiento importante en la vida del niño. Cuando el niño crecía un poco más, los hebreos decían que era "uno que da pasitos rápidos".

Otra etapa era cuando se llegaba a la pubertad. A la persona joven que llegaba a esta etapa se le daba el nombre de *elem* o *almah*, que significa *estar sexualmente maduro*.

En Levítico 27:1-8 se esbozan cinco etapas de la vida humana; tres de ellas caían dentro de la edad de la niñez o de la adolescencia. La primera etapa iba desde el nacimiento hasta los treinta días; la segunda desde el mes hasta los cinco años; y la tercera desde los cinco años hasta los veinte. Las últimas dos etapas eran la vida adulta y la vejez.

B. Tamaño. Los israelitas se consideraban más pequeños que los cananeos que habitaban la Tierra Prometida antes que ellos. Cuando los espías regresaron de explorar la Tierra Prometida, informaron que la tierra estaba llena de gigantes. Dijeron: "Este pueblo es mayor y más alto que nosotros, las ciudades grandes y amuralladas hasta el cielo; y también vimos allí a los hijos de Anac" (Deuteronomio 1:28). El pueblo al que se refirieron con las palabras "los hijos de Anac" eran descendientes legendarios de una tribu de gigantes. Pero los arqueólogos han hallado evidencias de que los cananeos eran de tamaño y estructura promedios. Parece que el informe de los espías se basaba en el temor y no en los hechos (Deuteronomio 1:28; Números 13:28).

Al estudiar los esqueletos de israelitas adultos, los científicos han descubierto que su tamaño promedio era de 1,60 a 1,70 metros. Su pequeña estatura se debía en parte a la deficiente fuente de alimento que tenían a su disposición. La sequía y las plagas de langostas reducían drásticamente sus cosechas. Esto resultaba en un hambre que afectaba a toda la población (Amós 4:6-10).

A pesar de todas estas penurias, había unos cuantos que tenían exceso de peso. Eglón, rey de Moab, es descrito como "un hombre muy grueso" (Jueces 3:17). El alimento era a menudo escaso, de modo que mientras que un rico podía comprar más de lo que necesitara, el pobre sufría hasta casi morir de hambre. Las Escrituras condenan el insensible egoísmo de los ricos (ver Lucas 12:13-21) al igual que la glotonería. Por ejemplo, Dios juzgó a Elí y a sus hijos porque engordaban de lo principal de las ofrendas (1 Samuel 2:29).

Aunque los israelitas pudieran haber sido más pequeños y más delgados que sus contemporáneos, no eran más débiles que ellos. Todos trabajaban arduamente, incluyendo a las muchachas. Diariamente las jóvenes llenaban sus cántaros de agua en el pozo de la localidad y las llevaban sobre sus cabezas al hogar. Cuando estaban llenos de agua, cada cántaro podía pesar hasta 22 kg. (50 lbs.). La preparación de granos para que sirvieran de alimento era otra tarea ardua y agotadora. La esposa ideal de aquel tiempo era la que tenía brazos fuertes (Proverbios 31:17).

La vida exigía trabajo duro de parte de todos los hombres; tal trabajo también formaba parte del crecimiento del joven (1 Samuel 16:11). Tanto hombres como muchachos se ocupaban en toda clase de trabajo físico. Por ejemplo, cargaban las ovejas y cabras enfermas desde los campos lejanos hasta las aldeas. Cuando se iba a construir una casa, cargaban las piedras a mano. La mayoría de sus viajes los hacían a pie. Todo esto contribuía a hacer que los israelitas fueran fuertes y flexibles.

Amenofis III y su familia. Este colosal grupo familiar de siete metros de altura, representa a Faraón Amenofis III (alrededor de 1.450 a.C.), con barba y tocado ceremonial. La reina Tiy usa una pesada peluca y sobre ella una corona. Sus tres hijas están representadas por tres pequeñas figuras que aparecen a lo largo del frente del trono. Esto indica el papel insignificante de los hijos en la sociedad egipcia.

Algunas veces un joven demostraba su fuerza y valor atacando y matando a un animal salvaje. David le dijo a Saúl: "Tu siervo era pastor de las ovejas de su padre; y cuando venía un león, o un oso, y tomaba algún cordero de la manada salía yo tras él, y lo hería, y lo libraba de su boca; y si se levantaba contra mí, yo le echaba mano de la quijada, y lo hería y lo mataba. Fuese león, fuese oso, tu siervo lo mataba" (1 Samuel 17:34-36). Hazañas similares se registran en toda la Biblia (por ejemplo, en 2 Samuel 23:20).

En todas las culturas, las normas tienen excepciones. La Biblia dice de Saúl: "Entre los hijos de Israel no había otro más hermoso que él; de hombros arriba sobrepasaba a cualquiera del pueblo" (1 Samuel 9:2). Goliat también era un hombre excepcionalmente grande. Leemos en 1 Samuel 17:4, que Goliat medía seis codos y un palmo. Un codo era la distancia entre el codo y la punta del dedo del medio, aproximadamente 45 centímetros. Eso significa que Goliat tenía una estatura de 2,70 metros. Al otro extremo de esta escala estaba Zaqueo, que tuvo que treparse a un árbol sicómoro para poder ver por encima de las cabezas de la multitud (Lucas 19:3, 4).

C. Color de la piel y del cabello. El nombre *Esaú* significa "castaño rojizo". Los descendientes de Esaú eran los pueblos de color castaño rojizo que se conocían como los edomitas. En contraste con ellos, la piel de los israelitas era más clara y de color más amarillento. En nuestros días, los israelíes parecen ser de piel oscura por cuanto constantemente están expuestos al sol.

Las jóvenes israelitas consideraban que la piel clara era bella, y se cuidaban todo lo posible de los rayos del sol. Leemos en el Cantar de los Cantares que la que iba a ser la esposa les imploraba a sus doncellas: "No reparéis en que soy morena, Porque el sol me miró" (Cantares 1:6). Ella se avergonzaba de que su piel no estuviera tan clara como la de las demás muchachas.

La antigua juventud israelita tenía el cabello de color castaño oscuro o negro. En Cantares se describen los cabellos "negros como el cuervo" (Cantares 5:11). En varios pasajes de las Escrituras, se comparan los cabellos de una joven con un rebaño de cabras que van por la ladera (Cantares 4:1; 6:5); la cabra oriunda de Israel era negra.

Los arqueólogos han hallado bandas de las que se usaban en la cabeza en diversos lugares de Israel que datan de los tiempos del Antiguo Testamento. Estas reliquias indican que tanto los hombres como las mujeres llevaban el cabello largo. Absalón (2 Samuel 14:26) y Sansón (Jueces 16:16-19) tenían el cabello largo.

Los padres cananeos les afeitaban a menudo las cabezas a sus hijos jóvenes, y les dejaban un mechón encima (Levítico 19:27). Esta era una costumbre egipcia, pero a los israelitas no les era permitida. El apóstol Pablo instó a las mujeres a que no se raparan sus cabezas, y a los hombres a no dejarse crecer el cabello (1 Corintios 11:14, 15). Si una mujer llevaba el cabello corto, eso daba a entender que era una prostituta. Los estilos del cabello eran a menudo un asunto cultural; lo que era aceptado por una generación era rechazado por la otra.

D. Los niños que tenían problemas físicos. Los defectos de nacimiento existían en los tiempos bíblicos de la misma forma que en la actualidad. Una lista de algunos de los defectos más comunes se halla en el Pentateuco (Levítico 21:18-21). Al parecer, a un individuo que tuviera un defecto de nacimiento no se le permitía realizar ningún oficio sacerdotal. Tal persona sería fácilmente blanco de burlas y de chistes crueles. Esto estaba estrictamente prohibido por Dios, quien dijo: "No maldecirás al sordo, y delante del ciego no pondrás tropiezo, sino que tendrás temor de tu Dios. Yo Jehová" (Levítico 19:14; compárese con Deuteronomio 27:18).

La educación

Los israelitas proporcionaban una educación completa a sus hijos. Esta incluía la instrucción religiosa y también el entrenamiento en las destrezas prácticas que necesitaban para el mundo del trabajo diario. Por ser ellos un pueblo agricultor sólo se les enseñaba a leer y a escribir a los líderes religiosos.

"Y Jesús crecía en sabiduría y. . . en gracia con Dios y los hombres" (Lucas 2:52). Este versículo capta el objetivo del sistema educativo de los judíos. No sólo se esforzaban en impartir conocimiento, sino también sabiduría, la que giraba en torno a la relación del individuo con Dios.

En el antiguo Israel, la educación era un proceso informal. Los padres se encargaban de la mayor parte de la enseñanza. No había ni aulas ni programa de estudios sistemático. Ya en tiempos del Nuevo Testamento, los judíos habían adoptado un enfoque más formal de la educación. Habilitaban salones para clases y capacitaban a maestros para que instruyeran a todos los niños de la aldea.

A. El modelo de la enseñanza. A fin de entender la función del maestro judío, primero tenemos que considerar al Maestro divino a quien el maestro tomaba como modelo. La Escritura se refiere a Dios como el Maestro que dice a sus alumnos: "Este es el camino, andad por él; y no echéis a la mano derecha, ni tampoco torzáis a la mano izquierda" (Isaías 30:20, 21). Dios conoce y entiende las necesidades de sus alumnos; El está plenamente versado en la materia; El es el Ejemplo perfecto e infalible de ellos. El maestro judío tenía su ejemplo ante él al ir a su trabajo.

Sabemos que Dios utilizó a hombres para que enseñaran la ley a la nación de Israel. Estos hombres no sólo eran maestros, sino también ejemplos de santidad: hombres como Moisés; sacerdotes y profetas como Elías. Sus discípulos eran los adultos de la nación de Israel, quienes eran responsables de transmitir el conocimiento a sus hijos.

B. La responsabilidad de los padres. La educación religiosa de los hijos era responsabilidad de los padres (Deuteronomio 11:19; 32:46). No se hacía excepción con los padres que pensaran que estaban tan ocupados como para no poder enseñar.

Aun cuando los hijos llegaran a ser mayores y contrajeran matrimonio, la responsabilidad de los padres no terminaba; también tendrían una parte importante en la educación de los nietos (Deuteronomio 4:9). De hecho, con frecuencia vivían todos en la misma casa.

El padre israelita era, en última instancia, el responsable de la educación de sus hijos; aun cuando las madres también jugaran un papel decisivo, especialmente hasta que el niño llegaba a la edad de cinco años. Durante esos años de formación se esperaba que ella modelara el futuro de sus hijos e hijas.

Cuando el varón llegaba a tener suficiente edad para ir a trabajar con su padre, éste se convertía en su principal maestro, aunque la madre continuaba participando en la responsabilidad de la enseñanza (ver Proverbios 1:8, 9; 6:20). La madre asumía la responsabilidad principal con respecto a la enseñanza de sus hijas: les enseñaba las destrezas que necesitarían para llegar a ser buenas esposas y madres.

Niñas jugando. En este relieve (de alrededor del año 2.200 a.C.), que pertenece a una tumba egipcia de Sakkarah, las jovencitas danzan y juegan. Cuatro de ellas tienen espejos.

Un juego hallado en Tell Beit Mirsim. Los niños cananeos tienen un juego sobre un tablero con diez piezas de juego: cinco tenían forma de conos y cinco eran tetraedros, todos hechos de loza azul de alfarería. Una perinola de marfil con orificios por cuatro lados, completa el juego.

Si alguna otra persona que no fuera el padre tenía que asumir la responsabilidad de enseñar al muchacho, entonces era considerado como su "padre". En generaciones posteriores, al individuo a quien se le asignaba específicamente la tarea de enseñar lo llamaban "padre" y él se refería a sus alumnos como "mis hijos".

La mayor preocupación de los padres judíos era la de que sus hijos llegaran a conocer al Dios viviente. En hebreo, el verbo *conocer* significa *estar íntimamente comprometido* con una persona. La Escritura declaraba que la reverencia o "el temor de Jehová es el principio de la sabiduría, y el conocimiento del Santísimo es la inteligencia" (Proverbios 9:10). Los padres piadosos ayudaban a sus hijos a que desarrollaran esta clase de conocimiento de Dios.

Desde la primera parte de la niñez, el jovencito aprendía la historia de Israel. En la primera niñez probablemente aprendía de memoria una declaración de fe, y la recitaba por lo menos una vez al año cuando se daba la ofrenda de las primicias. El credo reducía la narración de la historia de Israel a una forma sencilla que era fácil de aprender de memoria:

"Un arameo a punto de perecer fue mi padre, el cual descendió a Egipto y habitó allí con pocos hombres, y allí creció y llegó a ser una nación grande, fuerte y numerosa; y los egipcios nos maltrataron y nos afligieron, y pusieron sobre nosotros dura servidumbre. Y clamamos a Jehová el Dios de nuestros padres; y Jehová oyó nuestra voz, y vio nuestra aflicción, nuestro trabajo y nuestra opresión; y Jehová nos sacó de Egipto con mano fuerte, con brazo extendido, con grande espanto, y con señales y con milagros; y nos trajo a este lugar, y nos dio esta tierra, tierra que fluye leche y miel. Y ahora, he aquí he traído las primicias del fruto de la tierra que me diste, oh Jehová" (Deuteronomio 26:5-10).

Así los hijos aprendían que la nación de Israel había entrado en un pacto con Dios. Este pacto establecía ciertas restricciones para ellos. Ellos no estaban libres para buscar lo que ellos mismos desearan, sino que tenían una responsabilidad para con Dios por cuanto El los había redimido. Se les enseñaba con diligencia los principios que Dios les había dado.

Jesús resumió la esencia y la intención de estas leyes cuando declaró: "Amarás al Señor tu Dios con todo tu corazón, y con toda tu alma, y con toda tu mente. Este es el primero y grande mandamiento. Y el segundo es semejante: Amarás a tu prójimo como a ti mismo. De estos dos mandamientos depende toda la ley y los profetas" (Mateo 22:37-40).

Probablemente no había escuelas formales en los tiempos del Antiguo Testamento. La mayor parte del aprendizaje tenía lugar en la vida diaria. En la medida en que se presentaran oportunidades a través del día, los padres instruían a sus hijos.

Un hijo podía preguntar: "Papá, ¿Qué son esas piedras que están amontonadas ahí? ¿Qué significan?" (ver Josué 4:21). El padre entonces tomaría tiempo para explicarle el trasfondo religioso y lo que ese monumento significaba.

Se necesitaba toda la vida para completar la educación de un hijo. La familia judía tomaba en serio las instrucciones del Señor: "Y estas palabras que yo te mando hoy, estarán sobre tu corazón; y las repetirás a tus hijos, y hablarás de ellas estando en tu casa, y andando por el camino, y al acostarte, y cuando te levantes" (Deuteronomio 6:6, 7). [La declaración: "Las repetirás a tus hijos", en la Versión Autorizada — inglés — se tradujo: "las enseñarás diligentemente".] Las palabras "enseñar diligentemente" vienen de un término hebreo que generalmente se refería a sacarle punta a un instrumento, o afilar un cuchillo. Lo que la piedra de afilar es para la hoja del cuchillo, eso es la enseñanza para el niño. La educación preparaba a los hijos para llegar a ser miembros útiles y productivos de la sociedad.

C. Las escuelas de las sinagogas. No estamos seguros en cuanto al tiempo en que se establecieron por primera vez las escuelas de las sinagogas. Algunos creen que esta práctica data del tiempo del exilio en Babilonia. Independientemente de cuándo haya comenzado, en los tiempos del Nuevo Testamento la escuela de la sinagoga era una parte vital de la vida judía.

Cada día de reposo, los judíos se reunían fielmente en la sinagoga para oír a su rabino leer las Escrituras y explicar la ley. Esta actividad inspiró a los musulmanes para que les dieran a los judíos el apodo de "el pueblo del Libro". La sinagoga patrocinaba clases especiales fuera del tiempo regularmente dedicado a la adoración. Durante la semana, los muchachos varones acudían a estas clases para estudiar las Escrituras bajo la dirección de maestros capacitados. Estas clases complementaban la educación religiosa que los muchachos estaban recibiendo de sus padres.

Los padres judíos se interesaban mucho más por el carácter del maestro que por su capacidad para enseñar. Naturalmente, exigían que fuera competente en su profesión; pero se interesaban más en que él fuera un ejemplo apropiado para sus hijos. Los escritos judíos del Nuevo Testamento nos ofrecen una lista parcial de las características de un maestro: No debía ser perezoso. Tenía que ser de un temperamento equilibrado. Nunca debía mostrar parcialidad. Jamás debía mostrarse impaciente. Nunca debía comprometer su dignidad haciendo bromas. Nunca debía desanimar al niño. Tenía que demostrar que el pecado es repulsivo. Tenía que castigar el mal comportamiento. Tenía que cumplir todas sus promesas.

Además de leer las Escrituras, a los muchachos judíos también se les enseñaba etiqueta, música, arte militar, y otros conocimientos prácticos. Leemos que se decía de David: ". . . sabe tocar, y es valiente y vigoroso y hombre de guerra, prudente en sus palabras, y hermoso, y Jehová está con él" (1 Samuel 16:18). Según este informe, podemos decir que David tenía una educación completa, como la tenían la mayoría de los muchachos judíos.

En los tiempos del Nuevo Testamento, las escuelas judías exigían que cada alumno dominara varios pasajes claves de la Escritura. De primordial importancia era el *Shema*, que era otra declaración de fe de los judíos (Deuteronomio 6:4, 5). Le seguían en importancia Deuteronomio 11:13-21 y Números 15:37-41. Al alumno también se le exigía que aprendiera el *Hallel* (alabanza), que era el contenido de los Salmos 113-118, así como también la historia de la creación (Génesis 1-5) y las leyes de los sacrificios (Levítico 1-8). Si algún niño era excepcionalmente brillante, examinaría más del libro de Levítico.

Sólo los varones recibían educación formal fuera del hogar. Comenzaban reuniéndose en casa del maestro, donde leían rollos que contenían pequeñas porciones de las Escrituras, como el *Shema*. Esta era la escuela primaria de aquel tiempo.

Cuando los muchachos tenían suficiente edad para aprender las lecciones sabáticas, se reunían en la "casa del Libro", es decir, en la sinagoga. Allí entraban en la sala donde se guardaban los rollos de la Tora, y preparaban sus lecciones bajo la supervisión del *Hazzan*, el custodio de los rollos.

Posteriormente se les permitía discutir con los maestros fariseos preguntas relacionadas con la ley. Estas discusiones constituían el nivel secundario de la educación judía.

En los tiempos del Nuevo Testamento, la escuela tenía actividades todo el año. Durante los meses calurosos del verano los muchachos iban a la escuela sólo cuatro horas al día. Si era un día excepcionalmente caluroso la escuela podía estar cerrada del todo. Las horas de clases eran antes de las 10:00 A.M. y después de las 3:00 P.M. Se tenía un receso de cinco horas correspondiendo a la porción más calurosa del día.

El aula tenía una parte levantada en forma de plataforma donde se sentaba el maestro con las piernas cruzadas. Delante de él, en un atril bajo, había rollos que contenían pasajes seleccionados del Antiguo Testamento. No había libros de texto. Los alumnos se sentaban en el suelo, a los pies del maestro (Hechos 22:3).

Las clases no estaban separadas por edades; todos los alumnos estaban juntos en la misma aula. Por esta razón, la instrucción de ellos tenía que ser muy individualizada. El maestro copiaba un versículo para los alumnos más jóvenes, y ellos lo recitaban en alta voz hasta dominarlo. Mientras tanto, el maestro ayudaba a los mayores a leer un pasaje de Levítico. El ruido probablemente nos habría distraído mucho a nosotros, pero los muchachos israelitas pronto se acostumbraban a él. Los sabios creían que si el versículo no se repetía en alta voz pronto se olvidaría.

D. Preparación vocacional. Los muchachos deben de haberse emocionado al acompañar a sus padres a los campos a trabajar, o al mercado a comprar y vender. Los muchachos observaban detenidamente la forma de proceder de sus padres mientras estos plantaban, podaban y cosechaban. A veces se les permitía que emprendieran una tarea difícil, lo que haría que aumentara su entusiasmo. Se le abría un nuevo mundo al muchacho cuando tenía suficiente edad para acompañar a su padre.

Pero el trabajo era monótono y agotador. Al crecer el muchacho también crecían sus responsabilidades. Se esperaba que el muchacho al cabo de poco tiempo trabajara el día entero sin parar, a no ser para un breve descanso.

Los hombres alentaban a sus hijos a que trabajaran arduamente. Los amonestaban con la Escritura: Proverbios 6:9-11 decía: "Perezoso, ¿hasta cuándo has de dormir? ¿Cuándo te levantarás de tu sueño? Un poco de sueño, un poco de dormitar, Y cruzar por un poco las manos para reposo; Así vendrá tu necesidad como caminante, Y tu pobreza como hombre armado." Para sobrevivir, la familia tenía que trabajar duro.

Los israelitas creían que una vida indisciplinada no prepararía al joven para arreglárselas con lo que tendría que enfrentarse. Les enseñaban a sus hijos el significado de la responsabilidad al comienzo de su vida, de tal modo que cuando los jóvenes llegaran a la vida adulta pudieran con confianza hacer frente a sus demandas. Si un hijo crecía de manera irresponsable, no sólo se avergonzaría él mismo, sino que traería vergüenza a su familia. Uno de los sabios señaló: "La vara y la corrección dan sabiduría; mas el muchacho consentido avergonzará a su madre" (Proverbios 29:15).

Por ser Israel una sociedad agrícola, gran parte de la sabiduría práctica que transmitía el padre al hijo giraba en torno a la labranza. Esto incluía lecciones sobre la preparación del suelo para la siembra, y acerca del cultivo de las varias cosechas; y también sobre la manera de recoger la cosecha y de almacenar la abundancia. Los hijos aprendían estas cosas trabajando junto a sus padres durante su juventud. Aun cuando el pueblo judío comenzara a buscar ocupaciones aparte de la labranza, eran todavía un "pueblo de la tierra".

Al padre también le correspondía la responsabilidad de enseñar a sus hijos un arte u oficio. Por ejemplo, si el padre era alfarero, enseñaba ese arte a sus hijos. Uno de los sabios judíos afirmó que "el que no enseña a su hijo un oficio útil, lo está criando para que sea un ladrón".

Mientras los chicos aprendían estos oficios, las chicas aprendían a cocinar, a hilar y a tejer bajo los vigilantes ojos de sus madres (Exodo 35:25, 26; 2 Samuel 13:18). Si no había varones en la familia, se les podía exigir a las hijas que aprendieran el trabajo del padre (Génesis 29:6; Exodo 2:16).

La circuncisión. Este relieve de Sakkarah representa el rito egipcio de la circuncisión. A la izquierda, un ayudante sostiene las manos del muchacho, mientras el que lo circuncida realiza la operación con un objeto redondeado, tal vez un cuchillo de pedernal (ver Exodo 4:25). A la derecha, el paciente se sostiene al apoyarse en la cabeza del que lo circuncida. A diferencia de los egipcios, los hebreos circuncidaban a los varoncitos a la edad de ocho días, con lo que daban a entender que el niño era aceptado en la comunidad del pacto.

Actividades recreativas

Los jóvenes de los tiempos bíblicos no tenían "el tiempo en sus manos", como lo tienen los jóvenes de hoy. Pero aun así, tenían suficiente tiempo para la recreación y el ocio.

A. Juguetes. Los jóvenes tenían pocos juguetes. Por lo común se divertían jugando con un palo, un hueso o un tiesto. En muchas excavaciones se han hallado juguetes de barro cocido.

Los arqueólogos han hallado en las tumbas reales en Egipto juguetes mecánicos sencillos, tales como carretas y vagones. Las niñas israelitas jugaban con sencillas muñecas de barro vestidas con trapos.

En una ocasión, el profeta Isaías comparó a Dios con una persona que lanza una bola (Isaías 22:18). Este es el único pasaje bíblico que se refiere a tal juguete. Lástima que el profeta no describe ni a la bola, ni a lo que se estaba jugando.

B. Juegos. El profeta Zacarías predijo tiempos de paz para Israel cuando dijo: "Y las calles de la ciudad estarán llenas de muchachos y muchachas que jugarán en ellas" (Zacarías 8:5). La Escritura no describe los juegos que los muchachos pudieran estar jugando, pero sí menciona el hecho de que danzaban y cantaban (ver Job 21:11, 12). Jesús dijo que el pueblo de su generación era "semejante a los muchachos que se sientan en las plazas, y dan voces a sus compañeros, diciendo: Os tocamos flauta, y no bailasteis; os endechamos, y no lamentasteis" (Mateo 11:16, 17).

Se han hallado dibujos en las paredes de antiguas tumbas egipcias en que aparecen niños luchando y jugando como a la guerra. Aunque existe poca evidencia de que los varones hebreos practicaran estos deportes, es muy probable de que sí lo hicieran. Los niños también tenían competencias de carreras a pie y jugaban a la reina mora.

A los niños de los tiempos bíblicos les encantaba explorar las cuevas y las grietas que había en el mundo que los rodeaba. Los niños pastores a menudo se escabullían con el objeto de explorar o de atrapar animales salvajes. También practicaban con la honda o lanzando la jabalina. Aun por medio del juego, los muchachos se preparaban para la vida adulta.

Los viajes a Jerusalén

El Señor mandó que todos los varones hebreos adultos se congregaran regularmente en un lugar central de adoración (Exodo 23:14-17; Deuteronomio 16:16, 17). El propósito de esto era esencialmente religioso, pero los niños consideraban este viaje como cierta clase de vacaciones, lleno de aventura y emoción. Consideraban que era un privilegio ir. Jerusalén estaba llena de cosas nuevas que ver y de sonidos nuevos que oír, y ellos anhelaban tener una experiencia así. Con frecuencia, los niños tenían tanto anhelo de llegar a Jerusalén que se les adelantaban corriendo a los adultos quienes iban más lentamente.

El círculo del atardecer

En una aldea judía, la comida de la tarde se servía unas dos horas antes de ponerse el sol. Luego, todos los hombres se reunían en un lugar de reunión al aire libre, donde se sentaban o se acostaban en grandes círculos. Los hombres mayores o más respetados se acomodaban en el centro. En los bordes externos podían estar de pie los jóvenes mayores y oír cuando los hombres relataban los eventos del día o de mucho tiempo antes.

Tablero de juego. Este tablero de juego (de alrededor del siglo veinticinco a.C.), descubierto en una tumba de Ur, era cóncavo para poder contener las catorce piezas redondas del juego. El tablero está decorado con conchas, huesos, piedras rojas, y tiras de lapislázuli, montados en bitumen.

Tal círculo servía como si fuera el periódico de la tarde. Sabemos qué clase de cosas tenían lugar. Los hombres comentaban cosas como el nacimiento de un niño, la enfermedad de un aldeano, la aparición de un león o de un oso en la vecindad, o los sucesos nacionales. Luego sus pensamientos se volvían probablemente hacia los planes para el futuro. Tal vez comentaban la esperanza de una abundante cosecha, las primeras señales de una plaga de langostas, o la cantidad de lluvia que había caído.

Luego reinaba el silencio durante breves momentos, después de lo cual un anciano podía comenzar a recitar un poema relacionado con los hechos heroicos del tiempo pasado, como la historia de David. Esto podía conducir a un canto en el que participaban muchos de los hombres. Luego una voz declararía al estilo proverbial: "Por tres cosas tiembla la tierra." Otro hombre situado al otro lado del círculo respondería: "La cuarta no la puede soportar." Luego diferentes hombres enumerarían cuatro cosas que la tierra no podría soportar, como "a un esclavo cuando llega a ser rey". Después de un período de risa y reflexión, uno tras otro ofrecerían comentarios vívidos sobre la vida, como el siguiente: "Como escoria de plata echada sobre el tiesto son los labios lisonjeros y el corazón malo" (Proverbios 26:23). Era un tipo de conversación extraño y asombroso: sagaz, ingenioso, ponderado y muy instructivo. Este tipo de diálogo podría continuar durante varias rondas antes de cambiar el tema y terminarse la reunión.

Podemos imaginar que cuando los jóvenes caminaban hacia la casa, cada uno reflexionaba sobre lo que había oído. Algunos atesoraban información importante que querían recordar. Otros se daban cuenta de que sus corazones estaban extrañamente conmovidos por lo que se había contado acerca de los hombres osados de la antigüedad. Otros se habían entretenido simplemente con los chismes y los proverbios que habían oído. Pero en sentido colectivo, su cúmulo de sabiduría y de entendimiento había aumentado, y así sus vidas habían sido enriquecidas.

6
Las enfermedades y su curación

as enfermedades y las dolencias han plagado al hombre desde que Dios sacó a Adán y Eva del huerto del Edén (Vea Génesis 2:19). Los hebreos creían que la enfermedad era el resultado del pecado en el individuo a quien Dios tenía que castigar (Génesis 12:17; Proverbios 23:29-32); del pecado de los padres de la persona enferma (2 Samuel 12:15); o debido a una seducción de Satanás (Mateo 9:34; Lucas 13:16). No obstante, algunos pasajes bíblicos demuestran que no siempre hay una explicación fácil para la enfermedad (ver Job 34:19, 20).

Aun en los tiempos del Antiguo Testamento los hebreos relacionaban la sanidad con Dios. Por ejemplo, Malaquías habló acerca del sol de justicia que nacería y en sus alas traería salud (Malaquías 4:2); y David alabó a Dios diciendo que El es "el que sana todas tus dolencias" (Salmo 103:3).

Curas rituales y curaciones milagrosas

Revisaremos aquí algunas de las dolencias y problemas relacionados con ellas de los tiempos bíblicos. Es importante una comprensión de estos problemas para todo estudiante bíblico, ya que a menudo afectaron el curso de la historia de Israel. Durante el ministerio de Jesús la sanidad de los enfermos tuvo también preponderancia.

A. Afasia. Consiste en la pérdida temporal de la facultad del habla que generalmente es causada por una lesión cerebral, aunque en ocasiones se atribuye a un trastorno emocional. Esto le ocurrió al profeta Ezequiel (Ezequiel 33:22). Cuando un ángel le dijo a Zacarías que él iba a ser el padre de Juan el Bautista, el anciano salió del templo y no podía hablar (Lucas 1:22).

B. Apoplejía. Este término se refiere a una ruptura o una obstrucción de una arteria cerebral, que produce un ataque de apoplejía. Cuando Abigail le dijo a Nabal que su insulto contra David tendría terribles consecuencias, dice la Biblia que "desmayó su corazón en él, y se quedó como una piedra"; diez días después Nabal falleció (1 Samuel 25:37, 38). Estos síntomas sugieren que él sufrió un ataque de apoplejía. Lo mismo pudo haberle ocurrido a Uza, el que tocó el arca del pacto (2 Samuel 6:7), y también a Ananías y Safira (Hechos 5:5, 9, 10).

C. Ulceras. Este término se refiere probablemente al ántrax, una enfermedad que les puede ser transmitida a los humanos por el ganado vacuno, lanar, caprino, o equino. Esta enfermedad es causada por una bacteria que tiene la figura de un bastoncillo y que forma esporas. Estas esporas, a su vez, pueden infectar a las personas, en quienes forman una lesión a manera de furúnculo con una *fístula* (que es lo que se llama "úlcera"). En el estado infeccioso, a la úlcera se le da el nombre de *fístula maligna.* Las úlceras se mencionan sólo una vez en la Biblia (Exodo 9:9, 10). Dios se las envió a los egipcios cuando Faraón se negó a permitir que los hebreos partieran hacia la Tierra Prometida.

D. Defectos. Este término general se refiere a cualquier defecto corporal como la ceguera, la cojera, un hueso quebrado, dedos de más en las manos o en los pies *(polidactilismo),* una joroba, o algo por el estilo. Una persona que tuviera defectos físicos no podía ofrecer sacrificios a Dios (Levítico 21:16-24), ni se le permitía traspasar el velo del templo, ni acercarse al altar, pues esto contaminaría el santuario. No se podían ofrecer animales imperfectos en los sacrificios (Exodo 12:5).

E. Ceguera y sordera. En la Biblia se mencionan tres tipos de ceguera: la ceguera repentina que era causada por las moscas y agravada por la tierra, el polvo, y la luz intensa; la ceguera paulatina, que era causada por la vejez; y la ceguera crónica. Pablo sufrió de ceguera temporal en el camino a Damasco (Hechos 9:8). La Escritura a menudo hace referencia acerca de personas ancianas cuyos ojos "se oscurecieron" (Génesis 27:1; 48:10; 1 Samuel 4:15). Pero la Biblia se refiere con más frecuencia a la ceguera crónica.

Los israelitas se compadecían de los ciegos. De hecho, Dios pronunció una maldición para aquel que hiciera errar al ciego en su camino (Deuteronomio 27:18). Jesús les ministró a muchas personas que eran ciegas. El dijo: "El Espíritu del Señor está sobre mí, Por cuanto me ha ungido para dar buenas nuevas a los pobres; me ha enviado a sanar a los quebrantados de corazón; a pregonar libertad a los cautivos, y vista a los ciegos" (Lucas 4:18). Jesús sanó a un hombre que había nacido ciego (Juan 9:1-41); a un ciego cuya sanidad fue gradual; a dos ciegos que estaban sentados junto al camino (Mateo 20:30-34); y a otros en gran número (Marcos 10:46-52; Lucas 7:21).

Cristo sana a un ciego. En este detalle del frontispicio de un sarcófago romano (de alrededor del año 300 d.C.), Cristo toca los ojos de un ciego con lodo hecho con saliva, antes de enviarlo al estanque de Siloé (Juan 9). Los hebreos creían que Dios castigaría a aquellos que hicieran errar al ciego en su camino (Deuteronomio 27:18).

Con frecuencia se entendía que la ceguera era un castigo por alguna maldad. Hallamos ejemplos de esto en el caso de Sodoma (Génesis 19:11); el ejército sirio (2 Reyes 6:18); y en el de Elimas en Pafos (Hechos 13:6-11).

El Nuevo Testamento se refiere ocasionalmente a personas que habían perdido la capacidad de hablar (ver Mateo 9:32; 15:30; Lucas 11:14). Esto con frecuencia era resultado de la pérdida del oído.

F. Salpullido. Este término se refiere a cualesquiera úlceras inflamadas de la piel, como las producidas por una infección de estafilococos. Pudieran confundirse con las "úlceras" o ántrax. El salpullido ("shechin", en hebreo) se menciona por primera vez en Éxodo 9:9, cuando Faraón se negó a permitir que los israelitas partieran de Egipto, y le brotó salpullido a la gente. A Satanás se le pemitió atormentar a Job con una especie de salpullido, que en la Biblia se llama "sarna maligna", desde la coronilla de la cabeza hasta la planta del pie (Job 2:7). El rey Ezequías también fue afligido con un salpullido que le produjo una llaga (2 Reyes 20:7), que Isaías curó aplicándole masa de higos. La masa de higos frescos tiene un efecto astringente. Antes del advenimiento de los antibióticos era común este tipo de tratamiento para el salpullido y las úlceras.

G. Cáncer. Ezequías estaba muy enfermo, y el Señor le dijo que se preparara para morir (2 Reyes 20:1). Dios hirió con una enfermedad incurable a Joram, a quien al cabo de los dos años se le salieron los intestinos (2 Crónicas 21:18, 19). Los eruditos bíblicos creen que estos hombres pudieran haber sufrido de algún tipo de cáncer, aunque la disentería crónica también pudo haber causado los síntomas de Joram. Sin embargo, la Biblia no se refiere al cáncer por nombre, pues esta enfermedad no se había identificado en los tiempos bíblicos.

H. Tisis o Tuberculosis. Moisés les advirtió a los israelitas rebeldes: "Jehová te herirá de tisis, de fiebre, de inflamación y de ardor. . ." (Deuteronomio 28:22). La palabra "tisis" se refiere a la tuberculosis, una enfermedad que destruye los pulmones.

I. Disentería. Esta es una enfermedad que en su etapa avanzada pudre los intestinos (2 Crónicas 21:15-19). La fibrina se separa del revestimiento interno de los intestinos y es expulsada.

El Nuevo Testamento se refiere a una forma severa de disentería con el nombre de "flujo de sangre". El padre de un cristiano llamado Publio estaba enfermo con disentería (Hechos 28:8). Pablo entró, oró por él, y el hombre fue sanado.

J. Edema o hidropesía. Estos términos se refieren a una acumulación anormal de fluido seroso en el tejido conjuntivo del cuerpo, o en una cavidad serosa, y es un síntoma. Esta acumulación produce inflamación. Jesús encontró por lo menos a una víctima de hidropesía en la casa de un fariseo. Jesús les preguntó a los fariseos si era lícito sanar en día de reposo, y ellos callaron. Entonces Jesús sanó al enfermo (Lucas 14:1-4).

K. Perturbaciones endocrinas. La ley de Moisés no permitía que un enano entrara en la congregación del pueblo de Dios (Levítico 21:20). La ciencia moderna ha demostrado que el enanismo es causado por perturbaciones en las glándulas endocrinas.

La Biblia también menciona cierto número de gigantes, como Goliat (1 Samuel 17:4). El verdadero gigantismo es causado por secreciones excesivas de la glándula pituitaria. Por otra parte, muchas personas altas heredan su estatura de sus antepasados.

L. Epilepsia. Este es un desorden que se caracteriza por descargas eléctricas erráticas en el sistema nervioso central y se manifiesta por medio de convulsiones. Cierto hombre llevó a su hijo epiléptico a Jesús para que él lo ayudara (Marcos 9:17-29). La Biblia dice que el muchacho tenía un "espíritu mudo". Jesús lo sanó.

Una teoría antigua sostenía que la epilepsia era producida por la luna; el pueblo llamaba a los epiléticos "lunáticos". El Salmo 121:6

pudiera reflejar esta idea cuando dice: "El sol no te fatigará de día, ni la luna de noche."

M. Desórdenes femeninos. Según la ley de Moisés, la mujer que sufriera de desorden menstrual debía considerarse inmunda (Levítico 15:24). Una de esas mujeres que había sufrido durante doce años (Lucas 8:43-48) tocó el borde del vestido de Jesús, y a causa de su gran fe recibió sanidad inmediata.

N. Fiebres. La Biblia usa la palabra "calentura" para describir la fiebre alta. Moisés advirtió a los rebeldes israelitas: ". . . enviaré sobre vosotros terror, extenuación y calentura, que consuman los ojos y atormenten el alma" (Levítico 26:16). Deuteronomio 28:32 también se refiere a esta calentura.

Cuando Jesús halló a la suegra de Simón Pedro enferma con este síntoma, reprendió la fiebre, y ella pudo levantarse y servir a los discípulos (Lucas 4:38). Jesús sanó al hijo de un funcionario del rey que tenía fiebre (Juan 4:46-54).

Muchas enfermedades de la antigua Palestina, de las cuales las más comunes eran la malaria y la tifoidea, tenían como una de sus características las fiebres altas. Cuando los filisteos colocaron el arca de Dios en el templo de un ídolo se desató una epidemia (1 Samuel 5:2, 9, 12). Esta epidemia estaba relacionada con los ratones.

O. Gangrena. Esta enfermedad sólo se menciona una vez en la Biblia: "Y su palabra [de ellos] carcomerá como grangrena" (2 Timoteo 2:17). La palabra "gangrena" en este caso es traducción del término griego *Gaggarina*. Se refiere a un deterioro circulatorio que comúnmente llamamos "gangrena", la cual avanza con rapidez y corroe los tejidos.

P. Gota. El exceso de ácido úrico en la sangre causa esta enfermedad de los riñones que se manifiesta por medio de una dolorosa inflamación de las coyunturas. En 2 Crónicas 16:12, 13, se nos dice que el rey Asa padeció una enfermedad de los pies que parece haber sido gota.

Q. Cojera. La Escritura describe muchas personas cojas. El caso más memorable es el que se registra en Hechos 3:2-11, donde leemos acerca de un hombre que nació cojo que era llevado diariamente a la puerta del templo que se llamaba la Hermosa para que pidiera limosna. Un día el limosnero vio que Pedro y Juan entraban en el templo y les rogó que le dieran una limosna. Los apóstoles en vez de dársela, invocaron el nombre de Jesús para que el hombre fuera sanado. Pedro levantó al limosnero, quien comenzó a caminar. Jesús sanó a muchos que estaban cojos (ver Mateo 15:30, 31).

El leproso

A través de la historia, la lepra ha sido una de las enfermedades más temidas por la humanidad. Hasta el presente siglo, el género humano se valió de diversas formas de ostracismo social como medio de controlar esta enfermedad. Los hawaianos desterraban a los leprosos a la isla de Molokai. Los nobles medievales construían inmensos leprosorios. Y los antiguos judíos echaban al leproso "fuera del campamento" (Levítico 13:46).

Son pocas las evidencias que tenemos de cómo era la vida de los leprosos de los tiempos bíblicos después de que fueran segregados de la comunidad. Levítico 13-15 contiene los datos más importantes sobre el tratamiento — o falta del mismo — de los leprosos en el Antiguo Testamento. Estos capítulos detallan, en esencia, los síntomas de la enfermedad, los procedimientos por medio de los cuales el sacerdote determinaba el caso que había sido curado, y las ofrendas que debían ofrecerse antes de que el leproso volviera a ser admitido en la comunidad.

Las condiciones de vida del leproso se describen de manera bien sencilla en Levítico: "Y el leproso en quien hubiere llaga llevará vestidos rasgados y su cabeza descubierta, y embozado pregonará: ¡Inmundo! ¡Inmundo! Todo el tiempo que la llaga estuviere en él, será inmundo; estará impuro, y habitará solo; fuera del campamento será su morada" (Levítico 13:45, 46).

Era terrible el destino del que fuera condenado a la vida de leproso. En la Edad Media, el sacerdote le leía con frecuencia la ceremonia de entierro al leproso, antes de que fuera echado de la ciudad. Los milagros que hizo Cristo al curar leprosos son testimonios de su compasión y también de su poder (ver Mateo 8:1-4; Marcos 1:40-45; Lucas 5:12-14).

Lucas es el único evangelista que habla de la curación de los diez leprosos que Jesús efectuó durante su último viaje a Jerusalén. Los diez fueron curados mientras iban a hacerse reconocer por el sacerdote; pero sólo uno regresó a darle las gracias a Cristo. Esta historia es la única evidencia que hay en el Nuevo Testamento de que los leprosos anduvieran en grupo, lo que sugiere que la ley de Levítico había sido suavizada. En 2 Reyes 7:3-10 se menciona a cuatro leprosos que se reunieron fuera de las puertas de la ciudad. Parece ser, sin embargo, que los leprosos vivían separados de la población sana de las ciudades. En los tiempos del Antiguo Testamento, la lepra era considerada como una fuente de contaminación física, y no como una consecuencia de la corrupción moral (esto último era el mito popular en tiempos de Jesús).

La lepra ha sido siempre un desastre, pero le ha llevado siglos a la sociedad poder aprender a arreglárselas con esta enfermedad.

R. Lepra. Esta es una de las enfermedades más aterradoras del mundo. La lepra es causada por un bacilo y se caracteriza por una formación de nódulos que se esparcen, produciendo la pérdida de la percepción táctil y deformación. En la actualidad la lepra se trata con medicamentos que incluyen el ácido sulfhídrico, y es tal vez la menos infecciosa de todas las enfermedades contagiosas. El mal de Hansen, que es una forma más apropiada de referirse a la lepra, era con frecuencia mal diagnosticada en los tiempos bíblicos. La gente tenía entonces el concepto de que era muy contagiosa y hereditaria. En Levítico 13:1-17 se condena la lepra como un plaga.

Basado en el pelo que tuviera la persona en la costra (erupción), o en la parte de la piel que se le hubiera puesto blanca, el sacerdote declaraba que la persona era leprosa y la ponía en una cuarentena de siete días. Si no se producía ningún cambio en ese lugar, entonces se extendía la cuarentena una semana más. Si para ese tiempo la mancha había comenzado a desaparecer, se declaraba al "leproso" curado y éste regresaba a su vida normal. Pero si la mancha permanecía o se había extendido, se le declaraba inmundo y era desterrado.

La lepra era muy común en el Cercano Oriente. Si un hebreo era sanado de lepra, se esperaba que ofreciera determinados sacrificios y cumpliera con ciertos ritos de purificación (Levítico 14:1-32). Jesús sanó leprosos en numerosas ocasiones (ver Lucas 5:12, 13; 17:12-17).

S. Malaria. Esta enfermedad infecciosa era causada por protozoarios del género *plasmodium*. Estos animales unicelulares pueden vivir en la sangre de los seres humanos y en la de los animales, o en la hembra del mosquito *anofeles*. Una vez que se contrae la malaria, ésta recurre. Pablo pudo haberse referido a la malaria al hablar de su "aguijón en la carne" (2 Corintios 12:7).

T. Desórdenes mentales y nerviosos. Parece que el rey Saúl tuvo síntomas de depresión maníaca (ver 1 Samuel 16:14-23). La Biblia menciona a otros individuos que pudieran haber sufrido de desórdenes mentales o nerviosos. Un ejemplo es el rey Nabucodonosor (Daniel 4:33).

U. Parálisis. Cuando la Biblia usa este término se refiere a la parálisis total. Los Evangelios registran un incidente muy conocido en que Jesús sanó a un paralítico en Capernaum (Marcos 2:1-12). El libro de los Hechos describe casos en que los apóstoles administraron la sanidad a paralíticos (Hechos 8:7; 9:33, 34).

V. Plagas. En nuestras versiones de la Biblia en castellano, esta palabra puede referirse a cualquier enfermedad epidémica. También se usa en sentido general en Exodo 7-10, donde se refiere a las penalidades que Dios les envió a los egipcios.

Durante su peregrinación por el desierto los israelitas fueron víctimas de las epidemias en tres ocasiones. La primera vez fue cuando se estaban comiendo las codornices que Dios les había enviado para satisfacer el deseo que ellos tenían de comer carne (Números 11:33). La segunda vez, una "plaga" reclamó las vidas de los espías que habían desanimado a los israelitas para que no entraran en la Tierra Prometida (Números 14:37). La tercera epidemia les vino a los israelitas como castigo de Dios. Aarón detuvo esta "mortandad" ofreciendo incienso a Dios (Números 16:46, 47). En otra ocasión, Finees salvó a los israelitas de una epidemia al dar muerte a un hombre que había traído a una mujer madianita para que estuviera con ellos. Sin embargo, 24.000 personas murieron (Números 25:8, 9).

El Antiguo Testamento describe muchos casos en que Dios envió "plagas" para castigar a su pueblo. Un ejemplo se halla en 2 Samuel, donde David dice: "Para comprar de ti la era, a fin de edificar un altar a Jehová, para que cese la mortandad del pueblo" (2 Samuel 24:21).

La Versión Reina Valera de la Biblia usa también la palabra "azote" para referirse a cualquier enfermedad dolorosa. Cuando fue sanada una mujer que tenía una hemorragia crónica, ella sintió que había sido sanada de aquel "azote" (Marcos 5:29). No tenemos evidencias de que la Biblia se refiera ninguna vez a la peste bubónica, la que tuvo millones de víctimas en Europa durante la Edad Media.

W. Poliomielitis. Este es el nombre que comúnmente se da a la parálisis infantil, la que por lo general afectaba a los niños. En 1 Reyes 17:17 se nos habla de una mujer que llevó a su hijo al profeta Elías. El muchacho estaba tan enfermo que no quedaba en él aliento; este síntoma sugiere que él pudo haber tenido poliomielitis, aunque también pudiera haber sido cierta forma de meningitis. Elías revivió al muchacho por medio de la intervención del Señor en respuesta a la oración. Sin embargo, la Escritura no nos dice si el muchacho quedó completamente curado. Los hombres que se describen en Mateo 12:9-13 y en Juan 5:2 pudieran haber tenido poliomielitis.

X. Enfermedades de la piel. La Biblia se refiere a muchas clases de afecciones de la piel, tal como la "tiña" o sarna (Levítico 13:30; 21:20). Levítico 13:39 se refiere probablemente al vitiligo, que se confunde a menudo con la lepra.

Trepanación. Los cirujanos de Judea en el siglo sexto a.C. practicaron la trepanación, que consiste en horadar el hueso del cráneo para aliviar la presión del cerebro. Los cirujanos afeitaban la cabeza del paciente, cortaban la piel y la empujaban hacia atrás para que el hueso quedara expuesto. Usaban una pequeña sierra para cortar un trozo de cráneo, y cuando ya habían avenado el exceso de fluido, lo volvían a colocar en su lugar. Los arqueólogos han encontrado cráneos con estas horadaciones sólo parcialmente cortadas, o que tienen orificios para evenamiento que quedaron abiertos, lo que indica que esta operación con frecuencia no tenía éxito.

Y. Viruela. Algunos eruditos bíblicos creen que la palabra hebrea *maqaq* (literalmente, "demacrado") se refiere a la viruela. La Versión Reina Valera traduce esta palabra con el verbo "decaer": "Y los que queden de vosotros decaerán" (Levítico 26:39). También se usó para traducirla el verbo "consumir": ". . . no endecharéis ni lloraréis, sino que os consumiréis a causa de vuestras maldades" (Ezequiel 24:23). En un caso, esta versión da a entender que la palabra *maqaq* denota "putrefacción" de la piel: "Hieden y 'supuran' mis llagas, a causa de mi locura" (Salmo 38:5).

Z. Insolación. Isaías pudo haberse referido a la insolación cuando dijo: ". . . ni el calor ni el sol los afligirá" (Isaías 49:10). En 2 Reyes se describe a un joven que estaba trabajando con los segadores cuando dijo a su padre: "¡Ay, mi cabeza, mi cabeza!" Fue llevado a su casa, donde murió (2 Reyes 4:18-20). Suponemos que la insolación fuera una enfermedad común en los calurosos veranos del Cercano Oriente.

AA. Síncope. A la suspensión súbita y momentánea del funcionamiento del corazón o a una repentina baja de la presión sanguínea se le da normalmente el nombre de síncope. Cuando Jacob supo que su hijo José estaba aún vivo, su corazón "se afligió" (Génesis 45:26); probablemente refiriéndose a un síncope. Cuando Elí oyó que el arca del pacto había sido capturada, cayó de la silla hacia atrás, y se desnucó y murió (1 Samuel 4:18). Este pudo haber sido otro ejemplo de falla del corazón o síncope.

BB. Enfermedades venéreas. Hay algunas evidencias que indican que las enfermedades venéreas eran comunes en los tiempos bíblicos. Por ejemplo, en Zacarías 11:17 hay una advertencia para el pastor que abandona su ganado: su brazo se secará del todo, y su ojo derecho será enteramente oscurecido. Estos síntomas indican una enfermedad de la médula espinal. Probablemente una enfermedad venérea. Lea tenía un problema en los ojos que pudo haber sido producido por una sífilis hereditaria.

CC. Gusanos. Isaías advirtió que el pueblo rebelde de Israel sería afligido por gusanos (Isaías 51:8). También predijo este destino para Babilonia (Isaías 14:11). Esta enfermedad parasitaria podía ser mortal al carecerse de medicinas con qué curarla.

La Escritura dice que "un ángel del Señor" hirió a Herodes el Grande y expiró comido de gusanos (Hechos 12:23).

El uso de la medicina

Cuando el cuerpo de la persona comenzaba a desmejorarse y a sentir dolor, el sufriente naturalmente buscaría un remedio para su mal. Así fue como la gente de los tiempos antiguos desarrolló un amplio conocimiento de los medicamentos naturales.

Probablemente las primeras medicinas fueron introducidas en Israel por la influencia egipcia, y especialmente por la de los sacerdotes. Los egipcios también embalsamaban sus muertos con especias y perfume, costumbre que los israelitas pronto llegaron a adoptar.

En los tiempos bíblicos, las medicinas se hacían de minerales, sustancias animales, hierbas, vinos, frutas y otras partes de las plantas. Las Sagradas Escrituras con frecuencia se refieren al uso medicinal de estas sustancias.

Por ejemplo, el bálsamo de Galaad se menciona como una sustancia medicinal (Jeremías 8:22). Se ha pensado que el "bálsamo" era una sustancia aromática que se extraía de la planta siempre verde, o del olíbano. Se sabía que el vino mezclado con mirra aliviaba el dolor por cuanto embotaba los sentidos. Se le ofreció este remedio a Jesús cuando colgaba de la cruz, pero El se negó a tomarlo (Marcos 15:23). Los israelitas ungían a sus enfermos con lociones calmantes de aceite de olivas y hierbas. En la historia del buen samaritano se derramó aceite y vino sobre las heridas del hombre que había sido golpeado (Lucas 10:34). Los cristianos primitivos continuaron esta práctica de ungir a los enfermos mientras oraban por ellos (Santiago 5:14).

En Mateo 23:23 se mencionan ciertas especias que se usaban como antiácidos. Las mandrágoras se usaban como estimulantes del deseo sexual (Génesis 30:14). Había otras plantas que se usaban como remedios o estimulantes.

Los médicos y su trabajo

En los tiempos bíblicos, los médicos profesionales ponían en práctica sus capacidades, pero se consideraba que su trabajo era en gran parte mágico. El Antiguo Testamento no menciona los nombres de ningún médico, aunque con frecuencia se refiere a las labores de éstos (véanse Génesis 50:2; 2 Crónicas 16:12; Jeremías 8:22). El libro deuterocanónico Eclesiástico (segundo siglo a.C.) encomia la sabiduría y la capacidad de los médicos (38:1-15). En el Nuevo Testamento se menciona a Lucas por nombre y se le da el calificativo de "el médico amado" (Colosenses 4:14).

La circuncisión es el único tipo de cirugía que se menciona en la Biblia. Esta consistía en la remoción ceremonial del prepucio del niño hebreo cuando éste tenía ocho días de nacido. Abraham comenzó esta práctica por mandamiento de Dios (Génesis 17:10-14), y Dios se airó con Moisés por no querer someterse a ella (Exodo 4:24-26). Aun Jesús fue circuncidado a los ocho días de nacido (Lucas 2:21).

Curas rituales y sanidades milagrosas

La Biblia refiere algunos casos en que la persona enferma realizó una ablución ritual con el fin de ser curada. Cuando Naamán contrajo lepra, por ejemplo, el profeta Eliseo le dijo que se sumergiera siete veces en el Jordán. Naamán lo hizo y fue sanado (2 Reyes 5:10). Jesús aplicó lodo a los ojos de un ciego y le dijo que se lavara en el estanque de Siloé. El ciego obedeció y recibió la vista (Juan 9:7).

En muchas otras ocasiones, Dios realizó milagros por medio del ministerio de sus siervos. Elías y Eliseo vieron numerosas curaciones de esta clase (ver 1 Reyes 17:17-22; 2 Reyes 4:32-37). Cuando Jesús curaba al pueblo de toda clase de enfermedades, esto confirmaba que El era el Mesías (Lucas 7:20-22).

Los sacerdotes del templo tenían varias funciones médicas. El libro de Levítico describe siete formas de purificación ritual que tenían implicaciones médicas. Estaban relacionadas con: la purificación después del parto (Levítico 12), la lepra (Levítico 13), las enfermedades venéreas (Levítico 15:12-15), la función sexual del hombre (Levítico 15:16-18), las relaciones sexuales (Levítico 15:18), la menstruación (Levítico 15:19-30), y los cadáveres (Levítico 21:1-3).

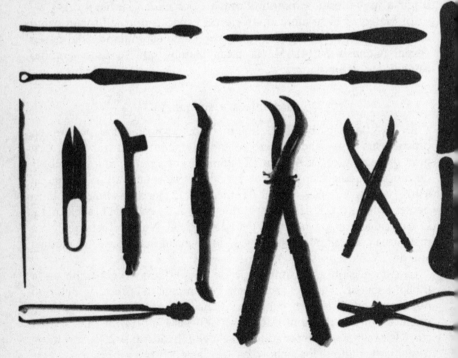

Instrumentos quirúrgicos. Entre estos instrumentos de cirugía hallados en Pompeya, hay cuchillos, escalpelos, pinzas y abrazaderas. Ellos indican que en el primer siglo d.C., las artes quirúrgicas ya eran complejas.

7
Las comidas y los hábitos
de alimentación

 partir de Génesis 1:29 (cuando Dios dijo: "He aquí que os he dado toda planta que da semilla, que está sobre toda la tierra . . . os será para comer") hasta Apocalipsis 22:2 (donde Juan habla del "árbol de la vida, que produce doce frutos"), la Biblia está repleta de alusiones a los alimentos.

Los vegetales constituían la mayor parte de la dieta en el ardiente clima de Palestina. Cuando se servía carne, era una forma de agasajar a los extranjeros o a los invitados de honor.

Los granos eran también una parte muy importante de la dieta. El pan se comía solo o con algo que realzara su sabor, tal como: sal, vinagre, caldo, o miel. Otra parte favorita de la dieta la constituían las frutas y el pescado. Recordemos que Jesús llamó a sus discípulos cuando trabajaban con sus redes de pescar.

La serpiente tentó a Eva a que comiera de una fruta, y fue así como el pecado entró en el mundo. Esaú vendió su primogenitura por un plato de lentejas. Jesús fue tentado a convertir piedras en pan. El mismo usó alimentos — pan y vino — como símbolos de nuestra participación en su sufrimiento. El alimento, que es una necesidad mundana y humana, es un fascinante hilo entretejido a través de la historia de la revelación de Dios a la humanidad.

Hábitos de comida

La Escritura está llena de referencias a banquetes y fiestas; aunque muy poco se dice acerca de las comidas familiares diarias. Todas las evidencias, sin embargo, hacen ver que se servían dos comidas regulares al día: el desayuno, que era una comida liviana que se ingería a la mañana, y la cena, que era una comida más abundante, y que se tomaba al caer la tarde, cuando el aire era más fresco.

Los judíos de tiempos más remotos se sentaban sobre esterillas en el piso para comer. Posteriormente, sin embargo, ellos adoptaron la costumbre de usar una mesa, a la que acercaban lechos sobre los que se reclinaban (Juan 21:20). Antes de comer, se hacía una oración o se pronunciaba una bendición, como cuando Jesús bendijo el pan al alimentar a la multitud (Mateo 14:19). El lavado de las manos se consideraba esencial, y lo observaban como un deber religioso, especialmente los fariseos (Marcos 7:3).

El hecho de partir el pan juntos, aun en el día de hoy, parece decir: Somos amigos; compartimos un vínculo común. Tales sentimientos son aparentes en toda la Biblia. Es como si el comer fuera más que un asunto de ingerir alimentos; como si fuera un participar en todo lo que implica ser humano y un compartir mutuamente con los que nos rodean.

A. El desayuno. La comida de la mañana se tenía por lo general en cualquier momento entre las nueve de la mañana y el mediodía. Era una comida liviana que consistía de pan, frutas, y queso.

B. La cena. La principal comida del día se servía al atardecer. La temperatura que es alta en Palestina durante el día, tiende a bajar al comenzar a caer la tarde, resultando esto en un ambiente más agradable. En esta oportunidad se consumía carne, verduras, mantequilla, y vino.

C. Fiestas. El pueblo judío disfrutaba de las celebraciones, y según las Escrituras, una fiesta parecía ser un buen modo de conmemorar una ocasión de regocijo. La música era una parte muy importante de sus fiestas (Isaías 5:12) y la danza formaba parte algunas veces del entretenimiento (como cuando la hija de Herodías danzó para Herodes y sus invitados; Marcos 6:32).

La fiesta era planificada y presidida por un anfitrión o "maestresala" (Juan 2:8), el que daba órdenes a los criados y probaba el alimento y el vino.

Los festivales religiosos, de los cuales las fiestas constituían una gran parte, se pueden agrupar del modo siguiente: (1) El día de reposo, la fiesta de la nueva luna, el año sabático y el año del jubileo; (2) la Pascua, el Pentecostés, y la fiesta de los Tabernáculos; (3) las fiestas de Purim y de la Dedicación. En los principales días de fiesta cesaba todo trabajo; la celebración de los siete días de la Pascua exigía que no se trabajara ni el primero ni el séptimo día (Levítico 23).

Se celebraban fiestas en ocasión de: las bodas (Juan 2:1-11), los cumpleaños (Génesis 40:20), los entierros (Jeremías 16:7, 8), el esquileo de las ovejas (1 Samuel 25:2, 36), y en muchas otras más. Posiblemente la fiesta que nos viene a la mente más a menudo es aquella que preparó el padre del hijo pródigo (Lucas 15:11-32).

Es interesante notar que las mujeres nunca asistían como invitadas a las comidas especiales de los judíos.

D. Hospitalidad. Abraham estaba "sentado a la puerta de su tienda en el calor del día . . . y he aquí tres varones que estaban junto a él" (Génesis 18:1, 2). Abraham les dio agua para beber y para que se lavaran el polvo de los pies. Ellos se sentaron bajo la sombra de un árbol, mientras que él y Sara les preparaban comida. ¡Resultó que sus huéspedes eran ángeles!

En Hebreos 13:2 se nos ruega: "No os olvidéis de la hospitalidad, porque por ella algunos, sin saberlo, hospedaron ángeles." La hospitalidad, la bondad para con los extranjeros, y "mayormente a los de la familia de la fe" (Gálatas 6:10), tuvo sus raíces en el Antiguo Testamento y llegó a ser parte integral de las enseñanzas del Nuevo Testamento.

E. La mesa. En la antigua Palestina, la única mesa que se usaba era una piel circular o un pedazo de cuero colocado sobre la esterilla que estaba en el piso. Alrededor de esta mesa en forma de bandeja había lazadas por las cuales se podía pasar una cuerda. Cuando terminaba la comida, se halaba la cuerda, y así se levantaba la "mesa". En tiempos posteriores se introdujo una mesa regular con sus reclinatorios. Los huéspedes se inclinaban hacia dicha mesa sobre su codo izquierdo y comían con la mano derecha.

F. Utensilios. Esta palabra se refiere probablemente a diversos vasos. Entre los vasos sagrados a los cuales se refiere Exodo 25:29, se incluyen platos, jarros y tazones. Nos viene a la mente un plato ordinario que se usaba en el hogar: ". . . limpiaré a Jerusalén como se limpia un plato, que se friega y se vuelve boca abajo" (2 Reyes 21:13).

G. El pan que se mojaba. El pan mojado era un pedazo de pan que se sumergía en un líquido o caldo que estaba en el centro de la mesa. Entre los hebreos no se usaban utensilios de mesa. El señor de la fiesta podía mojar un trozo de pan y dárselo a un huésped. Jesús dio el pan mojado a Judas (Juan 13:26); y con esto indicó que él era el que lo habría de traicionar.

Ayunos

Las fiestas constituían parte muy importante de la vida judía, pero al ayuno (no comer durante determinado período de tiempo) era igualmente esencial. El código de Moisés prescribía ayunos ("afligiréis vuestras almas", Levítico 16:29) para el día de la expiación, para conmemorar el rompimiento de las tablas de la ley y para muchos otros sucesos de la historia judía.

Los ayunos se practicaban para mostrar humildad, tristeza y dependencia de Dios. Vestirse de saco, esparcir cenizas sobre la cabeza, no lavarse las manos ni ungirse la cabeza, eran todas señales de que se estaba observando un ayuno.

Aunque el ayuno se convirtió en un acto de hipocresía para algunos (Mateo 6:16, 18), está escrito que Jesús cuando estuvo en el desierto ayunó cuarenta días y cuarenta noches (Mateo 4:2). Parece que este era un asunto que se dejaba mayormente a discreción del individuo.

La ley de Moisés daba lugar al uso del vino; aun cuando la embriaguez estaba prohibida. El vino se usaba para la libación en el sacrificio diario (Exodo 29:40). A los nazareos les estaba prohibido beber vino (Números 6:3), y también a los sacerdotes cuando realizaban los servicios del templo (Levítico 10:9). Pablo le sugiere a Timoteo que los diáconos no deben ser "dados a mucho vino" (1 Timoteo 3:8). Parece no haber duda en el sentido de que el exceso de bebida era un problema en aquel tiempo, como continúa siéndolo actualmente.

El lagar. En una pileta como ésta de Jerusalén se colocaban las uvas para hacer el vino. Los hombres, agarrados de cuerdas que colocaban por encima de ellos, pisoteaban las uvas para extraerles el zumo, que salía por un orificio en el fondo e iba a parar a una canaleta para ser recogido en una tina (ver Nehemías 13:15).

En una lista de leyes y ordenanzas, está incluida la admonición: "No demorarás la primicia de tu cosecha ni de tu lagar" (Exodo 22:29). La palabra que se tradujo "lagar" en este caso, parece que se refería al zumo de las aceitunas y de las uvas. El "licor de uvas" que se menciona en Números 6:3 era una bebida que se hacía de uvas por infusión.

La borra del vino se usaba para realzar el sabor, el color y la fuerza del vino nuevo. "Vinos refinados" (Isaías 25:6) era una expresión que se refería a un vino rico de cuerpo completo, símbolo de las bendiciones de la fiesta del Señor.

Cuando Cristo colgaba de la cruz, se le ofreció un trago de vinagre en una esponja. Probablemente este era el vino ácido que tomaban los soldados romanos (Mateo 27:48). Aunque no era una bebida agradable, el vinagre se usaba para mojar el pan (Rut 2:14). Cuando se derrama vinagre sobre nitro se logra un efecto efervescente. De ahí el proverbio: "El que canta canciones al corazón afligido Es como . . . el que sobre el jabón (nitro) echa vinagre" (Proverbios 25:20).

Los granos

Una generosa provisión de granos parece indicar un pueblo bien alimentado. Pensemos en la importancia que se le dio al trabajo de José que consistió en almacenar todo el grano sobrante durante los siete años de abundancia en Egipto (Génesis 41:45-57). "Y de toda la tierra venían a Egipto para comprar de José" (57). Con el grano se hace el pan, y el pan sustenta a las naciones.

A. La cebada. La cebada se cultivaba en Palestina y en Egipto, y les servía de alimento al ganado vacuno y al equino. Aunque los egipcios usaban la cebada para alimentar animales, los hebreos la usaron para hacer pan, por lo menos para los pobres.

B. Millo. Se menciona en Ezequiel 4:9 entre otros granos. El millo es una planta que se parece al maíz y crecía en Palestina, y allí se usaba para hacer pan. En Europa también se usa como alimento para las aves.

C. Centeno. Aunque el centeno se menciona en Exodo 9:32, realmente nunca se cultivó en Palestina. Las autoridades creen que dicha palabra se refiere a otro grano como el millo o la espelta.

D. El trigo. ". . . si el grano de trigo . . . muere, lleva mucho fruto" (Juan 12:24). En este caso habló Jesús de uno de los granos más ampliamente conocidos entre los hebreos. Toda la Biblia se refiere al trigo como un elemento principal de la dieta hebrea. Fue una de las plantas que Moisés prometió que podría cultivarse en Canaán, la Tierra Prometida (Deuteronomio 8:8).

[Nota editorial: El maíz no se conocía en el Cercano Oriente en la época en que se escribió la Biblia y por tal motivo no llegó a formar parte de la dieta de los hebreos]

E. El molino. La más simple clase de molino que se usaba para moler el grano y obtener la harina se llamaba *mortero:* era una piedra cóncava que sostenía el grano que era machacado con otra. Un molino más eficiente consistía de dos piedras de 60 centímetros de diámetro y

15 centímetros de espesor. La piedra inferior era convexa en el centro. La superior era cóncava y tenía un agujero en el medio. En el agujero se colocaba el grano y se le daba vueltas, por medio de una manija, a la piedra de arriba. Cuando el grano iba cayendo entre las dos piedras era despedazado. Para obtener una harina muy fina había que moler el grano más de una vez.

Molino para harina. Los molinos manuales para moler granos y obtener harina consistían en dos piedras circulares. La de abajo tenía una superficie levemente convexa, que servía para guiar los trocitos de grano partido que se alejaban sin rumbo, hacia el borde externo, por donde caían al suelo. A las piedras de molino se les labraban ranuras que multiplicaban el efecto cortante y moliente cuando la piedra de encima se hacía rotar sobre la de abajo. Los molinos para granos de tamaño más grande eran movidos por asnos y por esclavos. Estos molinos romanos para harina, hallados en Pompeya, son del tipo más grande. El horno para el pan está detrás de ellos.

La muela del molino era tan importante para el pueblo hebreo que la ley establecía lo siguiente: "No tomarás en prenda la muela del molino, ni la de abajo ni la de arriba; porque sería tomar en prenda la vida del hombre" (Deuteronomio 24:6).

F. El cedazo. Después que la harina era cernida en un cedazo, lo sobrante se devolvía al molino para volverlo a moler. Los cedazos antiguos se hacían de juncos y papiro. Isaías habla de las naciones que están siendo zarandeadas con criba [cedazo] de destrucción (Isaías 30:28).

El pan

"El pan nuestro de cada día, dánoslo hoy" (Mateo 6:11). Jesús oró pidiendo pan, en el sentido de alimento en general. Pero el pan en sí era un elemento de la dieta hebrea. Los granos: el trigo, y también la cebada, se molían; lo molido se cernía, y se amasaba hasta formar delgadas tortas; y luego éstas se horneaban.

Expresiones como "pan de dolores" (Salmo 127:2) y "pan de maldad" (Proverbios 4:17), pueden indicar que estas experiencias llegan a ser parte de la vida diaria de la misma forma que el pan.

A. El pan de la proposición. Cada sábado se horneaban doce hogazas de pan sin levadura (que representaban a las doce tribus de Israel). Se colocaban en dos pilas y en filas sobre la mesa de oro del santuario como ofrenda al Señor. Cuando se retiraba de allí el pan viejo, los sacerdotes se lo podían comer en el atrio del santuario (Levítico 24:5-9).

B. La levadura. Jesús empleó el término "levadura" (un fermento que se usa para hacer que el pan crezca) en sentido figurado, como lo hizo con muchos otros términos bien conocidos de la vida diaria. En Mateo 13:33, El comparó el reino con la levadura, por la capacidad que esta tiene de cambiar toda la masa.

Tal vez estemos más familiarizados con este término cuando es usado en relación con el pan sin levadura. El pan sin levadura se usaba algunas veces con las ofrendas de paz, y también durante la semana de la Pascua que les recordaba a los israelitas aquella oportunidad en que fueron liberados de la esclavitud egipcia.

C. Hojuelas. Esta delgada torta sin levadura, hecha de harina de trigo y ungida con aceite se usaba en las ofrendas (Exodo 16:31; Números 6:15).

D. Tortas. Cuando se usa esta palabra se refiere a bizcochos duros o tortas de migas. Se mencionan en 1 Reyes 14:3. En la Versión del rey Jacobo [en inglés] se usó la palabra *cracknels*, cuya raíz se traduce "crujir", por cuanto crujían al partirse.

El trabajo de hornear

El trabajo de hornear lo hacían por lo general las mujeres. Con frecuencia se usaba el fogón; pero algunas veces se formaba una pasta sobre una jarra de piedra caliente y luego se horneaba. Lo típico era que la pasta hecha con harina de trigo o cebada se amasara en un tazón de madera, luego se formaran las tortas circulares, se punzaran y se hornearan colocadas alrededor de una tinaja o en un tazón. El pan fresco se horneaba todos los días. En Oseas 7:4, 6 se mencionan panaderos de panaderías abiertas al público.

A. El horno. Los hornos de los hebreos eran probablemente de tres clases: (1) El horno de arena en el que se encendía el fuego sobre arena limpia y cuando la arena se calentaba se quitaba el fuego. La masa se extendía sobre la arena caliente en delgadas capas para que se hornearan. (2) El horno de tierra, llamado también "hornillo" (Levítico 11:35), en el que se calentaban piedras. Cuando se quitaba el fuego, se extendía la masa en delgadas capas sobre las piedras. (3) El horno portátil al que se refieren las palabras "cocida en horno" (Levítico 2:4). Estos hornos se hacían probablemente de arcilla. Dentro de ellos se encendía el fuego. Cuando se calentaban, las delgadas capas de masa se esparcían sobre las piedras que se alineaban en el fondo del horno. Antes de hacer esto había que remover la ceniza.

Sartén para pan. Esta bandeja hallada en Laquis (de alrededor del siglo quince a.C.) pudo haber sido usada para hacer tortas de pan o para hornearlas (ver Levítico 2:5).

B. El fogón. Según la versión Reina Valera, Abraham le pidió a Sara que hiciera "panes cocidos debajo del rescoldo" (Génesis 18:6). Ahora bien, el rescoldo es la brasa que se conserva entre la ceniza. En la Versión del rey Jacobo [en inglés] se tradujo que Abraham le dijo que hiciera "panes sobre el fogón". Según la versión inglesa, él se refería a las piedras calientes que se usaban para hornear pan. El término también pudiera referirse al combustible que arde en el fogón (Salmo 102:3), o a un brasero portátil (Jeremías 36:22, 23).

La carne como alimento

El hecho de comer carne se menciona en el pacto que Dios hizo con

Noé: "Todo lo que se mueve y vive, os será para mantenimiento" (Génesis 9:3). Aunque la dieta normal de los hebreos consistía en verduras y frutas, en realidad comían algo de carne, especialmente en banquetes y fiestas. La iglesia primitiva tuvo un desacuerdo con respecto a comer carne sacrificada a los ídolos, pero Pablo aclaró que nada es inmundo para los que son puros (Tito 1:15; compárese con 1 Timoteo 4:4).

A. Becerro. Cuando el hijo pródigo regresó al hogar, su padre mató un becerro gordo para la fiesta (Lucas 15:23). En la vida hebrea, el becerro se consideraba la más predilecta de todas las carnes. Se reservaba para las ocasiones más festivas.

B. Cabrito. El hermano mayor del hijo pródigo se disgustó y le dijo a su padre: ". . . nunca me has dado ni un cabrito para gozarme con mis amigos" (Lucas 15:29). El cabrito (una cabra tierna) era la carne más común, más económica y la que más comían los pobres. Se usaba en las ofrendas de sacrificio (Números 7:11-87).

A. Aves. Algunas aves no se podían comer pues eran consideradas inmundas (Deuteronomio 14:20). Pero se podían comer: perdices, codornices, gansos, y palomas.

B. Pescado. El pescado era un alimento favorito en Palestina. Se sacaba en grandes cantidades del mar de Galilea y del río Jordán.

Después que Jesús resucitó, preparó un desayuno de pescado y pan sobre brasas, en la playa, para algunos de sus discípulos (Juan 21:9-13). En otra ocasión en que apareció a los discípulos después de la resurrección, les pidió algo de comer. Lucas nos dice: "Entonces le dieron parte de un pez asado, y un panal de miel. Y él lo tomó, y comió delante de ellos" (Lucas 24:42, 43).

La ley establecía que todos los peces que tuvieran aletas y escamas eran limpios y, por tanto, se podían comer (Deuteronomio 14:9, 10).

E. Oveja (Cordero). Además de sus muchos usos en otras cosas que no eran alimento, la oveja era importante por su carne, su leche y la grasa de su cola cuyo peso algunas veces alcanzaba casi siete kilogramos. En la celebración de la Pascua se mataba un cordero y se comía su carne para conmemorar la liberación de la esclavitud de Egipto.

F. La grasa. La grasa pura o grosura de un animal se sacrificaba a Dios, ya que se consideraba que era la parte más rica o mejor (Levítico 3:16). En los primitivos tiempos no se podía comer, pero parece que esta estipulación se pasaba por alto cuando se mataban los animales para usarlos sólo como comida (Deuteronomio 12:15).

La caza

En el Antiguo Testamento se mencionan: leones, osos, zorras, ciervos, corzos, y gacelas. Algunos de estos animales se cazaban para que sirvieran de alimento. Se atrapaban con trampas de diversas clases o con redes. Isaac le dijo a Esaú que tomara su arco, su aljaba y los aparejos de cacería y saliera a cazar para que le hiciera su guisado preferido (Génesis 27:3, 4). La sangre de estos animales salvajes no se comía.

Aunque los cuchillos no se usaban como utensilios para comer tal como se usan ahora, eran necesarios para matar los animales y prepararlos para comer o para el sacrificio (Levítico 8:29; Esdras 1:9).

La cocina

La cocina era un trabajo que le correspondía a la mujer, especialmente en los días que precedieron a la conquista de Canaán. Para asar, se encendía el fuego o se usaba un horno. Para hervir, se cortaba el animal, se colocaba en una olla (caldero) con agua, y se sazonaba (Ezequiel 24:4, 5). La carne y el caldo se servían por separado. Las verduras también se hervían.

El caldero era una gran vasija de metal que se usaba para hervir la carne (1 Samuel 2:14). Se usaba un tenedor de tres dientes para sacar la carne del caldero.

Productos lácteos

A los israelitas se les había prometido una "tierra que fluye leche y miel" (Josué 5:6). En esa promesa ellos tenían una visión de abundancia y prosperidad. Los hebreos tomaban leche de camellas, de ovejas y de cabras. La leche de camella era especialmente rica y espesa, pero no era muy dulce. En todo el Antiguo Testamento se menciona la leche (ver Proverbios 27:27; Deuteronomio 32:14).

A. Mantequilla. El término hebreo *chemah* se ha traducido de varias maneras: crema, leche cuajada, queso y mantequilla. Según Génesis 18:8, Abraham sirvió mantequilla (*chemah*) a los extranjeros que visitaron su tienda. En Proverbios 30:33 se nos dice que "el que bate la leche sacará mantequilla". Cualquiera que sea el significado exacto de esta palabra hebrea, hay cierto acuerdo en el sentido de que los hebreos usaban alguna clase de mantequilla. Probablemente se hacía por el mismo método que los árabes usan hoy. Ellos vierten leche caliente, a la que se le ha agregado una pequeña cantidad de leche agria (*leben*), en una bolsa de piel de cabra, y la baten hasta que se separa la mantequilla; luego se avena y después de tres días se vuelve a calentar. La mentequilla preparada de este modo se conserva bien en el caluroso clima de Palestina.

B. Queso. Con el queso tenemos en cierto sentido el mismo problema que con la mantequilla; es difícil saber con seguridad lo que los escritores quisieron decir. Consideremos: "¿No me vaciaste como leche, Y como queso me cuajaste?" (Job 10:10). "Y estos diez quesos de leche los llevarás al jefe de los mil" (1 Samuel 17:18). ". . . miel, manteca, ovejas, y quesos de vaca, para que comiesen" (2 Samuel 17:29). En cada uno de estos pasajes, la palabra que se tradujo "queso" es diferente en el original. Es probable que en los tres casos, la palabra *queso* se refiera a leche cuajada.

Frutas

Un alimento favorito de los hebreos eran las frutas, las que eran abundantes en el caluroso clima de esa parte del mundo. Los espías que envió Moisés a Canaán trajeron de regreso un gajo que tenía un solo racimo de uvas, el cual era tan grande que lo tuvieron que cargar entre dos usando un palo. También regresaron con granadas e higos (Números 13:23). Estas y una profusión de otras frutas eran consumidas como parte de la dieta regular.

A. Uvas. Ver la sección anterior que trata sobre el vino.

B. Pasas. A David le llevaron racimos de "pasas", ". . . porque en Israel había alegría" (1 Crónicas 12:40). Las pasas eran uvas que se dejaban secar en sus racimos. También se mencionan en 1 Samuel 25:18 y en 2 Samuel 16:1.

C. Tortas de pasas. El término hebreo 'ashishah, se traduce "prensado". Parece ser que las tortas de pasas eran uvas secas que se prensaban en forma de torta. Se usaban como sacrificio para los ídolos (Oseas 3:1). La gente las tenía como una exquisitez.

D. Granadas. Esta bella fruta de color rosado rojizo, que tiene muchas semillas, era un alimento favorito de los israelitas. La abundancia de semillas simbolizaba la fertilidad. Se cultivaba tanto por causa de su sabrosa fruta como por su belleza en el jardín. El jugo de granadas era sumamente apreciado (Cantares 8:2). Esta era una de las frutas que crecían en la Tierra Prometida (Números 13:23).

El manto del sumo sacerdote estaba adornado con "granadas de azul, púrpura y carmesí alrededor" (Exodo 28:33). Doscientas granadas ornamentales decoraban cada una de las dos columnas del templo de Salomón (Jaquín y Boaz) (2 Crónicas 3:16, 17).

E. Melones. Los israelitas estaban acampados en el caluroso desierto de Arabia, y sólo tenían maná para comer. Se quejaron a oídos del Señor diciendo: "Nos acordamos de . . . los melones" de Egipto" (Números 11:5). Esta es la única vez que la Biblia habla de melones. Es imposible saber si se refiere al melón amarillo o a la sandía, ya que es posible que estas dos clases de frutas se dieran en Egipto en ese tiempo. En cualquier caso, el melón era un deleite refrescante cuando hacía mucho calor.

F. Manzanas. La manzana y el manzano de los cuales nos habla la Biblia probablemente eran el árbol de cidra y la fruta que se llama cidra (toronja). También se ha sugerido que tales palabras se refieren al membrillo o al albaricoque. Por la Biblia aprendemos que el fruto del "manzano" es dulce (Cantares 2:3); que su fruta es de color oro (Proverbios 25:11); y que es fragante (Cantares 7:8).

"Manzana de oro con figuras de plata es la palabra dicha como conviene" (Proberbios 25:11). Literalmente: "Una palabra dicha de manera adecuada es como cidras de oro en cestas de plata."

G. Higos. Desde las hojas de higuera que usaron Adán y Eva para cubrir su desnudez (Génesis 3:7), hasta la higuera que Jesús maldijo (Marcos 11:4), los higos son mencionados en toda la Biblia. Eran frutas comunes en Palestina. Las higueras crecen como plantas aisladas o en pequeños grupos que proveen agradable sombra con sus grandes hojas (ver Juan 1:48). Los higos se comen frescos directamente tomados del arbusto, secos, o prensados en forma de tortas (1 Samuel 25:18).

H. Aceitunas. "Y la paloma volvió a él a la hora de la tarde; y he aquí que traía una hoja de olivo en el pico" (Génesis 8:11). Noé recibió el símbolo de la paz y de la abundancia, y comprendió que las aguas habían decrecido. La aceituna es una fruta común en Palestina; se parece a una ciruela; al principio es verde, luego se torna de color pálido y finalmente, cuando ha madurado por completo, es negra. El árbol mismo se parece al manzano y produce fruto aun cuando está muy viejo. Los racimos de flores cuando el olivo está florecido se parecen a los de las lilas.

Las aceitunas se tumban con palos o se sacude el árbol para que caigan las frutas. Se debía dejar algo de fruta para los pobres (Deuteronomio 24:20). La fruta se comía tanto verde como madura. Pero la mayor parte de la cosecha de aceitunas se exprimía para obtener el aceite.

El mejor aceite es el que se extrae de las aceitunas verdes. La Biblia se refiere a este aceite con las palabras "aceite puro de olivas machacadas" (Exodo 27:20). La primera extracción, sacudida en cacerolas o cestas, produce el aceite más fino; la segunda extracción y la tercera producen el aceite inferior. El aceite se usaba para ungir, para añadirlo a los alimentos, para cocinar y para las lámparas. Un buen olivo producía unos 60 litros de aceite por año.

El aceite se extraía de las aceitunas en pesadas prensas de piedra para sacar aceite, que se llamaban *gath-shemen* (el nombre Getsemaní se deriva de este término; Mateo 26:36). En Miqueas 6:15 se habla de hollar las aceitunas para extraerles el aceite, como se hacía con las uvas. Otros pasajes sugieren que se colocaba una gran piedra de molino sobre una superficie plana y se le desgastaba la superficie superior. Sobre ésta se colocaba otra piedra en forma vertical y por el centro de ésta se hacía pasar una viga. Mientras un caballo, un buey o un hombre le daba vueltas a la piedra de arriba, el peso extraía el aceite.

El "olivo" que se menciona en Isaías 41:19, ciertamente es el verdadero olivo. Hay una autoridad que sugiera que tal palabra se refiere al acebuche u olivo silvestre, cuyas aceitunas producen un aceite de inferior calidad. Pero hay acuerdo general en el sentido de que se trata del verdadero olivo.

Legumbres

". . . nos den legumbres a comer, y agua a beber" (Daniel 1:12). Daniel pidió el alimento sencillo de su pueblo, en vez de la rica dieta del rey. "Y al cabo de los diez días pareció el rostro de ellos mejor y más robusto que el de los otros muchachos que comían de la porción de la comida del rey (versículo 15).

Las legumbres eran la comida diaria de los israelitas. Los huertos de hortalizas y legumbres se mencionan en Deuteronomio 11:10 y en 1 Reyes 21:2.

A. Habas. Cuando David iba huyendo de Absalón, le llevaron habas, junto con otros alimentos (2 Samuel 17:28). En Ezequiel 4:9 se describe un pan que se hacía con trigo, cebada, lentejas, millo, avena y habas. Se hacía un plato combinando habas trituradas con harina de trigo o con trigo machacado. A las habas que se cultivaban en los huertos se les daba sabor con aceite y ajo; luego las hervían y las comían con gusto.

B. Lentejas. Esaú vendió su primogenitura por un plato de potaje hecho con lentejas rojas (Génesis 25:29-34). Las lentejas se parecen a los guisantes de huerto, y las lentejas rojas se consideran como las mejores. Al igual que las habas, las lentejas las usaban algunas veces los pobres para hacer pan.

C. Pepinos. Comúnmente se conviene en que la palabra *pepino* es una traducción apropiada de los términos hebreos *shakaph* y *miqshah* (Números 11:5; Isaías 1:8). En los tiempos bíblicos había dos tipos de pepinos: el pepino llamado culebra larga, cuya cosecha estaba lista en julio; y el llamado pepinillo o cohombrillo, que se vendía en septiembre.

Cuando los hebreos nada más que tuvieron maná para comer en el desierto, se acordaron de los pepinos y de los melones de Egipto (Números 11:5). Entre los hebreos había la interesante costumbre de construir con hojas lugares de vigilancia para que un velador se sentara allí y vigilara a los ladrones. Cuando se terminaba la cosecha, abandonaban estos lugares. En Isaías 1:8 se nos dice que Sion quedó "como cabaña en melonar" [en la versión del rey Jacobo — en inglés — se tradujo "como cabaña en huerto de pepinos", es decir desolada].

Banquete asirio. Asistidos por sus siervos y músicos, el rey Asurbanipal y su reina festejan en el jardín, según este relieve de su palacio (de alrededor del siglo seis a.C.). Al igual que los asirios, los antiguos hebreos celebraban con frecuencia ocasiones religiosas y sociales con fiestas, acompañadas de música y danza.

D. Cebollas y ajos. Estas dos verduras de raíz bulbosa se dan bien en países calientes. Las cebollas y los ajos constituyeron parte del recuerdo de las buenas cosas de Egipto que tuvieron los israelitas cuando se sentían molestos en el desierto. Sin duda alguna, las cebollas y los ajos que se mencionan en Números 11:5 son los mismos que conocemos muy bien hoy. Se ha sabido que a las ovejas y a los camellos les hace crecer el comer estos vegetales.

E. Puerros. La palabra "puerros" sólo aparece una vez en la [versión — en inglés — del rey Jacobo de la] Biblia (Números 11:5). La palabra original que se tradujo de ese modo aparece varias veces, pero en otros casos se tradujo de otra manera. Hay opiniones que los identifican como cualquier alimento vegetal de color verde, como una hortaliza que comían con pan los pobres, y con la cual los ricos hacían una salsa para carne, tal como se hace con los puerros que conocemos hoy. Probablemente era una clase de loto, cuya raíz se hervía y se comía a manera de condimento.

F. Potaje. Es famoso el potaje de Jacob (Génesis 25:29-34). El potaje era una sopa que se hacía con lentejas y se sasonaba con aceite y ajo. En 2 Reyes 4:38-41 se narra otra interesante historia acerca de un potaje. En este tipo de potaje se usaron otros ingredientes.

G. Hierbas amargas. Este plato que era a manera de ensalada formaba parte de la fiesta de la pascua. Se usaba para recordar a los hebreos la aflicción que experimentaron en Egipto antes de que fueran libertados (Exodo 12:8; Números 9:11). Entre las hierbas podían estar incluidas: el rábano picante, la lechuga, la endibia, el perejil y los berros.

Nueces

Jacob envió nueces como regalo a José en Egipto (Génesis 43:11). Las nueces probablemente no se daban en ese país. Se habla de un huerto de nogales, cuyos frutos son las nueces, en Cantares 6:11.

A. Almendras. El almendro, árbol que florece temprano, en la lengua hebrea se llama *Shaked*, que significa *vigilar, vigilante*. A causa de su temprano florecimiento, el almendro se usa en Eclesiastés 12:5 como símbolo del rápido envejecimiento de la humanidad. Jeremías también usa el almendro para indicar que Dios ejecuta rápidamente su palabra (Jeremías 1:11, 12).

La vara de Aarón arrojó renuevos, echó flores y produjo almendras en el tabernáculo. Por medio de este milagro, el pueblo entendió que a la casa de Leví, representada por Aarón, se la declaraba como tribu sacerdotal (Números 17:1-9).

Hay dos tipos de almendras. La almendra amarga es conocida por su aceite; la dulce se usa para hacer postres.

B. Pistacho. Según la Versión Standard Revisada [en inglés], cuando José estaba en Egipto, Jacob también le envió pistacho. Esa palabra aparece en dicha versión, en Génesis 43:11. Es la única vez que se menciona tal palabra en la Biblia. El pistacho se usaba para hacer confituras.

Miel

"Los juicios de Jehová son . . . dulces más que miel, y que la que destila del panal" (Salmos 19:10). En toda la Biblia, desde Génesis hasta el Apocalipsis se menciona esta exquisitez. Los israelitas fueron conducidos hacia una "tierra que fluye leche y miel" (Exodo 3:8); hay por lo menos veinte pasajes bíblicos cuyas palabras son similares. No se podía ofrecer miel en el altar del Señor (Levítico 2:11), posiblemente por el hecho de que ciertas naciones paganas practicaban tal costumbre.

Comida árabe. Partir el pan juntos era la fundamental expresión de hospitalidad en el Cercano Oriente antiguo; y así lo es hoy. Algunos eruditos creen que los hebreos comían dos veces al día: una comida liviana en la mañana y una más completa en el fresco atardecer. En los tiempos primitivos se servían las comidas sobre esterrillas en el piso, tal como lo indica este cuadro. En la época romana se usaban reclinatorios.

Maná

Después que los hijos de Israel salieron de Egipto, llegaron al desierto de Sin, el cual se halla entre Elim y Sinaí. Ellos comenzaron a murmurar contra Moisés y Aarón: "Ojalá hubiéramos muerto . . . en la tierra de Egipto . . . nos habéis sacado a este desierto para matar de hambre a toda esta multitud." El Señor oyó las quejas de ellos, y respondió: ". . . yo os haré llover pan del cielo; y el pueblo saldrá, y recogerá diariamente la porción de un día." El sexto día, ellos debían recoger doble porción a fin de tener para ese día y para el día de reposo. El Señor continuó proveyendo este pan milagroso todas las mañanas, con excepción de los días de reposo, durante cuarenta años, hasta que los israelitas entraron en la tierra de Canaán (Exodo 16).

Algunas autoridades intentan explicar el maná de manera natural. La más común de esas explicaciones se relaciona con el arbusto llamado tamarisco. Este arbusto se halla en la actualidad en la península del Sinaí. Una especie de savia melosa gotea de este arbusto durante ciertas épocas del año, la cual se parece a lo que se describe como el maná que se les proveyó a los israelitas. La Biblia dice que era "una cosa menuda, redonda, menuda como una escarcha sobre la tierra (Exodo 16:14). ". . . era como semilla de culantro blanco, y su sabor como de hojuelas con miel" (Exodo 16:31).

La Pascua tradicional

Los ritos de la fiesta de la Pascua están en el centro de la adoración judía. Todo elemento de la Pascua (Hebreo, *Pesach*) estaba diseñado para conmemorar el paso histórico de los judíos de la esclavitud a la independencia nacional bajo la dirección de Dios.

La Pascua es una celebración de siete días en que la fiesta principal ocurre la primera noche. La comida del servicio (Hebreo, *Seder*), con la ceremonia que la acompañaba recuerda la última comida de que los judíos disfrutaron en Egipto, antes de comenzar su viaje hacia la Tierra Prometida. A los judíos se les ordenaba recordar la historia de su cautividad y liberación en la noche del *Seder*: "Y lo contarás en aquel día a tu hijo, diciendo: Se hace esto con motivo de lo que Jehová hizo conmigo cuando me sacó de Egipto" (Exodo 13:8).

De los numerosos ingredientes tradicionales del *Seder*, los más importantes son los que Dios especificó para la última noche en Egipto: "El animal será sin defecto, macho de un año (Exodo 12:5). Los corderos tenían que ser asados, no debían ser hervidos. A los participantes en el *Seder* se les recordaba que la sangre de los corderos había sido untada en los postes de las puertas de las casas judías para proteger a los judíos de la plaga que atacó a los no creyentes la noche de la primera Pascua.

El cordero pascual debía comerse con hierbas amargas, como se había ordenado en Exodo. En los tiempos del Antiguo Testamento se usaba la lechuga amarga, la achicoria o la endibia. Hoy es más probable que las familias judías usen rábano picante o cebollas en forma rallada. Estas hierbas simbolizan la amargura de la cautividad en Egipto.

Puesto que el primer *Seder* se realizó cuando los judíos se preparaban para huir, el tema del apresuramiento se entreteje en la fiesta. Los panes sin levadura, que tienen una contextura de galletas, como los llamados ázimos, eran más adecuados para un pueblo que huía que los panes leudados, los cuales requerían el acto de amasar y de esperar hasta que fermentaran.

Cada participante en el *Seder* tiene una copa de vino. El anfitrión de la fiesta se reclina sobre cojines, para recordar el antiguo modo de comer en posición reclinada. En frente del anfitrión se coloca el plato del *Seder*, con los tradicionales alimentos simbólicos: tres obleas de pan de tipo ázimo envueltas en una servilleta, las hierbas amargas, la *haroset* o pulpa de fruta, el cordero asado y un huevo cocido duro, las legumbres dulces y un tazón con agua salada para lavarse las manos.

La parte más conocida del rito del *Seder* la constituye probablemente "Las cuatro preguntas". El varón menor de la casa hace preguntas acerca del *Seder*, que comienzan con las palabras: "¿Por qué esta noche de la Pascua es diferente de todas las demás noches del año? Luego pregunta en cuanto al uso de los panes sin levadura, las hierbas amargas, la salsa de vegetales para mojar el pan, y los cojines que hay en la silla del anfitrión. El anfitrión, para responder al niño, le cuenta la historia del paso de Israel de la esclavitud a la libertad.

Aunque la preparación para el *Seder* exige mucha paciencia, ninguno de los alimentos tradicionales presenta ninguna dificultad. La pulpa de fruta es la única que requiere una receta especial, y de esta receta hay muchas variantes disponibles. De hecho, lo importante de esta pulpa de frutas es la textura (se parece a la argamasa), y no sus ingredientes. Una pulpa de frutas sencilla pudiera incluir manzanas ralladas, nueces desmenuzadas, azúcar, canela y vino rojo dulce. Estos ingredientes se baten hasta que adquieren la consistencia de una salsa. Se le puede agregar harina de pan ázimo, se pueden sustituir las frutas o las nueces por otras frutas, y el azúcar y la canela se agrega según el gusto individual.

Algunas autoridades [en la materia] están convencidas de que la savia del tamarisco es idéntica al maná original. Otros contradicen esta conclusión por las siguientes razones: (1) El maná original duró cuarenta años continuamente; el maná del tamarisco no se puede predecir y se produce por épocas. (2) La cantidad de maná de tamarisco que se producía ni siquiera hubiera servido para comenzar a alimentar a tres o cuatro millones de personas diariamente. (3) El maná original caía del cielo; el maná del tamarisco caía de las ramas del arbusto. (4) El maná original no se podía guardar para más de un día; el maná del tamarisco dura meses. (5) El maná original podía ser hervido, molido, machacado, y con él se podían hacer tortas; el maná del tamarisco no pudiera usarse en ninguna de esas formas. (6) las sustancias nutritivas eran diferentes: el maná original sostuvo a la nación durante cuarenta años; la sustancia del tamarisco sólo es una materia sacarina.

La hospitalidad. Dios les dijo a los israelitas que fueran hospitalarios (Levítico 19:34). Esto significaba que debían ofrecer comida, hospedaje y ropa a los viajeros que pasaran por sus tierras. Una importante costumbre hebrea era la de lavar los pies a los huéspedes, como gesto de bienvenida, por cuanto aquel país es caliente y polvoriento, donde los caminos pedregosos hacían con frecuencia que el viaje a pie fuera una experiencia dolorosa.

8
La ropa y los cosméticos

a manera de vestir de los israelitas fue cambiando gradualmente a través de los siglos. Notemos cómo evolucionaron los cinco artículos básicos de vestir. Dios hizo ropa para Adán y Eva. "Y Jehová Dios hizo al hombre y a su mujer túnica de pieles, y los vistió" (Génesis 3:21). Estas túnicas (en hebreo, *kethon*) eran simples camisones hechos con pieles de animales. Posteriormente, los hebreos comenzaron a hacer camisones de lino o de seda (estos últimos, si iban a ser usados por individuos importantes). Así leemos que José usaba "una túnica de diversos colores" (Génesis 37:3); según la Versión Standard Revisada [en inglés], esta túnica era un "largo manto con mangas".

Aunque el *kethon* lo siguió usando la gente común, se puso de moda otra forma de vestidura llamada *simlah*. Sem y Jafet tomaron esta clase de ropa para cubrir la desnudez de su padre (Génesis 9:23). Al comienzo, los israelitas hacían la *simlah* de lana, pero más tarde usaron para ella pelo de camello. Era una vestidura externa que se parecía a una gran sábana con una caperuza. Los judíos la usaban para abrigarse un poco más. Los pobres la usaban como su ropa básica día y noche (Exodo 22:26, 27).

Los israelitas usaban una ropa llamada *beged* para ocasiones especiales dentro de la casa. Isaac y Rebeca vistieron a su hijo Jacob con este tipo de ropa, que consideraban la mejor (Génesis 27:15). Los israelitas pensaban que la *beged* era un símbolo de dignidad para el que la usaba; se usaba para distinguir a los miembros de grandes familias. Después que se instituyeron los ritos del templo, los sacerdotes usaron la *beged*.

El cuarto tipo de ropa, el *lebhosh*, que significa *vestir*, era una ropa de uso general. Sin embargo, con el tiempo llegó a ser una vestidura externa tanto para los ricos como para los pobres. La Biblia dice que Mardoqueo usó un *lebhosh* ("vestido de cilicio") (Ester 4:2). Un *lebhosh* más elaborado podía servir como "vestido real" (Ester 8:15). El salmista se refirió a esta vestidura cuando escribió: "Repartieron entre sí mis vestidos, Y sobre mi ropa echaron suertes" (Salmo 22:18).

Finalmente, también se usaba el *addereth*, el cual indicaba que la persona que lo llevaba era de importancia (Josué 7:21). Esta ropa era también un tipo de manto o capote para uso externo. En contraste, un manto de esta naturaleza lo usan distintas clases de personas hoy en Palestina, sin tener en cuenta su clase social.

Estos ejemplos demuestran que el uso de ciertas vestiduras cambió en la medida en que fue cambiando la sociedad judía. Y la manufactura de estas ropas indica la disponibilidad de diferentes materiales textiles en cada época de la historia.

En este capítulo trataremos acerca de cuatro aspectos de la ropa en los tiempos bíblicos: la tela, la ropa para hombres, la ropa para mujeres y la ropa sacerdotal. También veremos en qué forma los pueblos del Cercano Oriente usaban los cosméticos y las joyas.

Diversos géneros de tela

En Génesis 3:7 se nos dice que Adán y Eva comprendieron que estaban desnudos, y entonces cosieron hojas de higuera, y se hicieron "delantales" (en hebreo, *hogor*). Luego, como ya vimos, el Creador les hizo túnicas de pieles, antes de expulsarlos del huerto del Edén (Génesis 3:21). Posteriormente se usaron diversas telas para hacer la ropa.

A. Lino. El lino era una de las telas más importantes para los israelitas. Se hacía de la planta del mismo nombre, que se cultivaba especialmente con ese propósito. Los cananeos cultivaban lino en Palestina antes que los israelitas conquistaran ese país (Josué 2:6).

El lino era una tela versátil que podía hilarse en forma tosca y también en forma muy fina y delicada. Los egipcios tenían una magnífica reputación por su lino fino, que era casi trasparente. También hacían lino tosco, que era tan burdo que se podía usar como alfombras para cubrir el piso.

Las telas de lino fino las usaban aquellos que tenían una alta posición social o eran pudientes (ver Lucas 16:19), y el común del pueblo usaba las telas burdas. Los egipcios vistieron a José de lino finísimo cuando lo nombraron gobernador (Génesis 41:42).

Las cortinas con que estaba hecho el tabernáculo hebreo, el velo del mismo, y las cortinas de las puertas eran de lino (Exodo 26:1, 31, 36), y también las cortinas de la puerta del atrio y las del propio atrio (Exodo 27:9, 16, 18). El efod y el pectoral del sumo sacerdote tenían lino fino (Exodo 28:6, 15). La túnica, el cinto, y los calzoncillos que usaban todos los sacerdotes también se hacían de lino (Exodo 28:39; 39:27, 28).

Los judíos hacían su ropa interior esencialmente de lino. Los lienzos en que fue envuelto Jesús para la sepultura eran hechos de esta tela. La Escritura dice que José de Arimatea compró una sábana (de lino), y quitándolo lo envolvió en la sábana" (Marcos 15:46). El lino fino y blanco era también un símbolo de la inocencia y de la pureza moral (Apocalipsis 15:6).

B. Lana. Los judíos usaron la lana de ovejas como material principal para hacer sus vestiduras. Los mercaderes de Damasco, Siria, hallaban un mercado inmediato para la fina lana que preparaban los israelitas. La vendían en el puerto de Tiro (Ezequiel 27:15). La lana desde las épocas más remotas es uno de los materiales que se han usado para hacer telas.

La ley de Dios no permitía que los israelitas tejieran ropas de una combinación de lana y lino (Deuteronomio 22:11). Esta ley se parece a otros varios preceptos, tales como no sembrar semilla mezclada en un mismo campo, o no arar poniendo en yunta a un buey con un asno (Levítico 19:19-25). Tal vez estas leyes expresaban simbólicamente la idea de sencillez y separación que caracterizó al antiguo pueblo de Dios. Por otra parte, las vestiduras del sumo sacerdote se hacían de esa misma mezcla. Así que la mezcla pudo haberse considerado como santa y no apropiada para la ropa común y corriente.

La lana fue siempre uno de los principales materiales para hacer ropa. En realidad, la economía de las tierras bíblicas se basaba fundamentalmente en la lana.

C. Seda. En Ezequiel 16:10, 13 se describe la seda como una tela de gran valor. Las palabras hebreas que se tradujeron como "seda" fueron *sheshî y meshî*. Algunos eruditos piensan que el término *sheshî*, que se halla en Proverbios 31:22, realmente se refiere a lino fino [como de hecho lo traduce nuestra Versión Reina-Valera]. No sabemos si los egipcios usaron la seda, pero los chinos y otros asiáticos la usaron en los tiempos del Antiguo Testamento. La seda llegó seguramente a las tierras bíblicas después de la conquista de Alejandro Magno (alrededor del 325 a.C.). Pero pudo haber llegado a Palestina un poco antes, ya que Salomón comerciaba con los países circundantes que pudieran haber producido esta clase de tela.

La finura y el color vívido de las telas aumentaban su valor; así que la seda tuvo una posición importante en el mundo antiguo. Los amantes del lujo que se mencionan en el Nuevo Testamento con el nombre de "babilonia" (¿Roma?), atesoraron seda (Apocalipsis 18:12). Hasta el año 275 d.C., los artículos de seda pura se vendían según su peso en oro.

D. Cilicio. Los israelitas usaban el cilicio como una señal ritual de arrepentimiento o de lamentación. El color oscuro y la burda textura de este material de pelo de cabras hacían que fuera ideal para ese propósito. Cuando los hermanos de José lo vendieron a los ismaelitas, Jacob se vistió de cilicio para guardar luto por la muerte de su hijo (Génesis 37:34). Cuando los israelitas experimentaban una aflicción extrema, usaban este tosco material pegado a la piel, como lo hizo Job (Job 16:15).

La ropa y el clima

El clima es el principal factor que determina el estilo de vestir de un pueblo. Esto se puede ver al comparar la ropa de los antiguos hebreos con la que usaban los pueblos que vivían en zonas climáticas diferentes.

Los egipcios del valle del Nilo se rasuraban sus cabezas y cuerpos para mantenerse frescos y limpios, y desarrollaron la tela de lino, que virtualmente era el material más liviano para hacer ropa, con el fin de contrabalancear el sofocante sol de su región. En los tiempos primitivos, los trabajadores egipcios usaban un sencillo taparrabo, el que también era aceptable como ropa [de andar] para los hombres en general. En el tiempo del rey Tutankamón (siglo catorce a.C.), el taparrabo se había desarrollado hasta convertirse en una prenda de vestir más larga, que se parecía mucho a un delantal. Sobre el hombro se usaban mantos o capas. Las mujeres usaban vestidos largos y sueltos, que bajaban desde debajo de los brazos hasta los pies y se sostenían de los hombros por medio de una o dos tiras. La única vestidura egipcia que tenía mangas era la *kalasiris*, que era un rectángulo de tela de lino al que se le cosían mangas por separado.

Los egipcios preferían el lino más delgado. Usaban zapatos de cuero; y también hacían sandalias de juncos. El tocado para la cabeza consistía en sombreros cónicos para los hombres y bandas para las mujeres. Muchas mujeres egipcias llevaban abanicos, los cuales eran muy útiles en aquella región, además de servir de adorno.

Contrastemos las ropas de los antiguos egipcios con las de los celtas, pueblo bárbaro que vivió al norte de los Alpes, como mínimo en el siglo sexto a.C. Los celtas eran individuos de gran estatura, musculosos, de piel clara, que vivieron y trabajaron en un clima duro y frío. Su economía básica era la agricultura. Criaban ganado vacuno, cultivaban cereales y se dedicaban a otros tipos de trabajo agrícola. Todo esto lo hacían bajo temperaturas considerablemente más bajas que las de Egipto.

Los celtas podían usar gruesa ropa interior y un tipo de medias cortas o largas, lo cual dependía de las condiciones meteorológicas de la región. Los hombres de las comarcas situadas entre los Alpes y Roma usaban pantalones allá por el siglo tres a.C. En ese tiempo, los celtas también preferían usar túnicas o camisones atados con cintos y un manto encima. Estos se envolvían los pies con tela. Las mujeres celtas usaban un solo vestido largo y un manto.

Los celtas preferían el lino tosco y la lana para protegerse del frío. Los colores de la ropa de ellos tenían un amplio espectro, desde los matices más oscuros hasta los matices tornasolados y blancos. Por otra parte, los egipcios preferían el color blanco; sus otros colores alternos eran: el azul claro, el amarillo claro y el verde claro.

Estos extremos en los estilos de vestir — desde el delantal en Egipto hasta las burdas túnicas en el norte de Europa — indican el papel que juega el clima en la determinación del tipo de ropa que prefieren los diferentes pueblos.

El Nuevo Testamento también relaciona el cilicio con el arrepentimiento, tal como lo hallamos en Mateo 11:21: "Porque si en Tiro y en Sidón se hubieran hecho los milagros que han sido hechos en vosotras, tiempo ha que se hubieran arrepentido en cilicio y en ceniza." El israelita que estaba afligido se vestía de cilicio, se echaba ceniza sobre la cabeza, y luego se sentaba en ceniza. Nuestra moderna costumbre occidental de usar colores oscuros en los funerales es comparable con la actitud de los israelitas al usar el cilicio.

El cilicio también se usaba para hacer sacos en los cuales se echaban granos (Génesis 42:25; Josué 9:4).

E. Algodón. No sabemos si los israelitas usaron el algodón para hacer sus ropas. El término hebreo *pishtah* servía de nombre a un tipo de material para hacer ropa que se obtenía de plantas, a distinción del material animal como la lana. El término podía referirse a la planta de lino de la cual se hacía la tela llamada lino, o posiblemente al arbusto del algodón.

Aunque la palabra hebrea *karpas* se tradujo por lo general como si se refiriera a un color (Esther 1:6; 8:15), posiblemente pudiera referirse al algodón. Tanto en Siria como en Palestina se cultiva hoy el algodón; pero no estamos seguros de si los hebreos lo conocieron antes de llegar a tener contacto con Persia.

La manufactura de telas

Las mujeres judías hacían ropa por necesidad. La preparación de las telas y la hechura directa de la ropa se consideraban como deberes que les correspondían a las mujeres. Había varios procesos.

A. Hilandería con rueca. Las mujeres judías usaban la rueca para hacer tela, puesto que la rueda de hilar a mano no se conocía en ese tiempo. Ellas pegaban lana o lino a la rueca (que era una varilla o palo), luego utilizaban un husillo para torcer las fibras y formar hilos. La Biblia menciona este arte en Exodo 35:25, 26 y en Proverbios 31:19

B. Tejidos. Luego que las mujeres hilaban los materiales en rama para formar hilos, usaban el hilo para tejer tela. A los hilos largos del tejido, los llamamos nosotros "urdimbre", y a los que cruzan los llamamos "trama". Las mujeres ataban la trama a una lanzadera, instrumento que mantenía el hilo de tal modo que se pudieran pasar por encima y por debajo los hilos de la urdimbre. La Escritura no describe específicamente el uso de la lanzadera, pero está implicado en Job 7:6. La urdimbre se ataba a una viga de madera que estaba por encima del telar o en el fondo de él, y la tejedora estaba de pie mientras hacía el trabajo. La Biblia no menciona el telar, sólo menciona la viga o estaca a la cual se ataba la urdimbre (Jueces 16:14). Con este método se podían producir telas de varias texturas.

Los israelitas probablemente sabían tejer mucho antes del tiempo de su esclavitud en Egipto. Pero allí perfeccionaron este arte a tal grado que pudieron hacer las cortinas del templo que se mencionan en Exodo 35:35.

Mientras los israelitas anduvieron errantes por el desierto hicieron diversas clases de telas tejidas. Incluso hicieron vestiduras de lana (Levítico 13:48), de lino torcido (Exodo 26:1) y vestiduras bordadas para los sacerdotes (Exodo 28:4, 39).

C. Curtiembre. El curtimiento fue un proceso que usó el pueblo de los tiempos bíblicos para secar pieles de animales, con el fin de prepararlas para el uso. Usaban cal, el jugo de ciertas plantas, y las hojas o la corteza de distintos árboles para curtir las pieles.

El oficio de curtidor no tenía buena reputación entre los judíos. Pedro desafió este prejuicio al hospedarse en la casa de Simón el curtidor, en Jope (Hechos 9:43). A los curtidores judíos se les obligaba por lo general a hacer su trabajo fuera de la ciudad.

D. Bordados. Los hebreos realizaban bellos bordados. El término *bordar* (hebreo, *shâbâts* y *râqam)* aparece en Exodo 28:39; 35:35; 38:23. La "obra primorosa" (Hebreo, *châshab)* que se menciona en Exodo 26:1 pudo haber sido más bien bordado que recamado. Sin embargo, ninguna de las dos palabras cuadraría exactamente con nuestra idea moderna del bordado.

La que bordaba o recamaba tejía la tela con diversos colores, y luego le cosía diseños. Así la parte decorada de la tela quedaba a un lado de ella. En contraste, la "obra primorosa" se hacía tejiendo hilo de oro o figuras directamente en la tela. Los judíos realizaban este tipo de labor complicado sólo en las vestiduras sacerdotales.

E. El teñido. Ya para la época en que los israelitas salieron de Egipto, estaban muy familiarizados con el arte de teñir (ver Exodo 26:1, 14; 35:25). El proceso de teñir se describe detalladamente en los monumentos egipcios; sin embargo, la Escritura no nos ofrece un informe preciso sobre la manera como los hebreos teñían sus telas.

Con algunas excepciones, el algodón y el lino se usaban sin teñir. Con añil, el algodón se podía teñir de azul, pero era más difícil teñir el lino. Ocasionalmente la tela, que de otro modo era corriente, se decoraba con hilos azules. Cuando la Biblia menciona el color de una tela que no era azul, eso indica que tal tela era de lana.

Los colores naturales con que teñían los judíos eran el blanco, el negro, el rojo, el amarillo y el verde. El rojo era un color muy popular en la ropa hebrea.

La tintura de púrpura que se hizo tan famosa en el antiguo Cercano Oriente se extraía de una especie de molusco que había en el mar Mediterráneo. Los hebreos le daban un valor muy alto a los artículos de púrpura, pero usaban libremente el término para referirse a todo color que tuviera un tinte rojizo.

El Nuevo Testamento nos dice que Lidia era "vendedora de púrpura, de la ciudad de Tiatira" (Hechos 16:14). Tiatira se hizo famosa por sus tintoreros; así que suponemos que Lidia vendía telas de color púrpura y posiblemente la propia tintura.

El cuidado de las telas

En los tiempos bíblicos, la ropa era lavada por los lavanderos. El lavandero profesional limpiaba la ropa golpeándola con los pies o con una vara en una tina llena de agua. En Jeremías 2:22 y en Malaquías 3:2 se nos dice que como agentes limpiadores se usaban la lejía y el jabón. También se usaban otras sustancias para la limpieza como el álcali y el yeso. Para emblanquecer las ropas, los lavanderos la frotaban con un material llamado "tierra del lavandero".

El trabajo del lavandero producía un olor repugnante, por tanto se hacía fuera de la ciudad. Un lugar llamado "la heredad del Lavador", situado en el lado norte de la ciudad de Jerusalén era el sitio donde se lavaba y se secaba la ropa. La provisión de agua les llegaba allí procedente del estanque de Gihón, que estaba más arriba en el lado norte de la ciudad. La Escritura nos dice que el rey de Asiria envió soldados contra Jerusalén desde esta parte del norte (2 Reyes 18:17). Es interesante notar que "la heredad del Lavador" estaba tan cerca de los muros de la ciudad que desde éstos se podía oír a los embajadores asirios que estaban en el campo.

La ropa que usaban los hombres

La manera de vestir de los países circundantes escasamente influyó en los israelitas, pues los viajes de estos eran limitados. Las modas de vestir de los hombres israelitas permanecían prácticamente iguales de generación en generación.

A. La ropa en general. De ordinario, los israelitas varones usaban una ropa interna, una ropa externa, un cinto y sandalias. Los árabes modernos usan las mismas vestiduras holgadas y distinguen también la "ropa interna" de la "ropa externa". La ropa interna es de un material liviano, y la externa, de un material más pesado y caluroso. Los árabes modernos también establecen distinciones entre la ropa del rico y la del pobre. La que usan los ricos es de materiales mucho más finos.

1. La ropa interna. La ropa interna del hombre israelita se parecía a una túnica o camisón bien ceñido. El nombre hebreo más común que se le daba a esta prenda de vestir (*kethoneth*) se tradujo de diversas maneras: *cota, manto, túnica* y *ropa.* Se hacía de lana, lino o algodón. Las primeras túnicas se hacían sin mangas y sólo llegaban hasta las rodillas. Posteriormente esta prenda se extendió hasta las muñecas de las manos y hasta los tobillos.

Del hombre que sólo usara esta ropa interna se decía que estaba desnudo (1 Samuel 19:24; Isaías 20:2-4). El Nuevo Testamento probablemente se refiere a esta prenda de vestir cuando dice que Pedro "se ciñó la ropa (porque se había despojado de ella), y se echó al mar" (Juan 21:7).

2. El cinto. El cinto del hombre era un cinturón, o cordón, o banda de tela o de cuero de unos diez centímetros de ancho o más. Un sujetador atado al cinto permitía aflojarlo o apretarlo. Los judíos usaban el cinto de dos maneras: como una atadura alrededor de la cintura sobre la ropa interna, o sobre la ropa externa. Cuando se usaba sobre la ropa interna, con frecuencia se le daba el nombre de *taparrabo*. El uso del cinto aumentaba la apariencia elegante de la persona, e impedía que las largas y sueltas vestiduras interfirieran en los movimientos y en el trabajo diario.

La expresión bíblica: "ceñid los lomos", significa que debían ponerse el cinto; lo que implicaba que la persona estaba lista para el servicio (1 Pedro 1:13). Por otra parte, "desatar el cinto" significaba que la persona o era perezosa o estaba descansando (Isaías 5:27).

3. El manto externo. Los hombres hebreos usaban un manto externo que consistía en un trozo de tela cuadrado u oblongo, de unos dos a tres metros de ancho. Esta prenda de vestir *(me'yil)* Es la que en nuestras Biblias aparece con el nombre de *vestidura* o *manto*. Se envolvía alrededor del cuerpo como una cubierta protectora, de tal modo que dos ángulos de la tela quedaran al frente. El manto se mantenía pegado al cuerpo por medio del cinto. Algunas veces los israelitas decoraban el cinto para este manto externo con ricos adornos de metal, piedras preciosas, y bordados. El pobre usaba esta ropa externa como cama (Exodo 22:26, 27). Los ricos con frecuencia tenían mantos externos de lino finamente tejidos; y los pobres, un burdo manto tejido, de pelo de cabras.

Los hombres judíos usaban franjas con cordones azules en los bordes de sus vestidos (Números 15:38). Las franjas les recordaban la constante presencia de los mandamientos del Señor. Jesús se refirió a estas franjas en Mateo 23:5; aparentemente, los escribas y los fariseos hacían estas franjas muy anchas, de tal modo que el pueblo viera cuán fieles eran ellos en el cumplimiento de los mandamientos del Señor.

Con frecuencia los hebreos rasgaban su manto externo en tiempo de aflicción (Esdras 9:3, 5; Job 1:20; 2:12).

En el Cercano Oriente, el número de mantos que tuviera un individuo indicaba la medida de su riqueza (ver Santiago 5:2). En consecuencia, la persona que tuviera un extenso ajuar, demostraba, por ello, que era rica y poderosa; y la falta de ropa indicaba pobreza. En relación con esto, ver Isaías 3:6, 7.

4. El bolsillo. El bolsillo del hombre realmente estaba formado por el cinto, el cual era doble y se aseguraba con una hebilla. La otra punta del cinto ceñía el cuerpo y luego se ajustaba dentro de la primera parte, la cual se abría y se cerraba con una tira de cuero. Lo que se fuera a poner en el bolsillo se colocaba debajo de esta banda de cuero. Mateo 10:9 y Marcos 6:8 se refieren a este tipo de bolsillo. Aparentemente los judíos también usaban cierto tipo de bolsa que estaba separada del cinto (Lucas 10:4).

Los hombres judíos usaban también otro tipo de bolsa o zurrón que pudo haber sido similar a nuestro bolso moderno. Los pastores llevaban su comida y otras cosas necesarias en este tipo de bolsa. Parece que el zurrón se usaba sobre el hombro. David puso en ese zurrón las cinco piedras para matar al gigante Goliat (1 Samuel 17:40). La alforja que se menciona en el Nuevo Testamento, que era la que llevaban los pastores y viajeros, pudo haber sido hecha de piel (Marcos 6:8).

5. *Sandalias.* El término "sandalias" sólo aparece dos veces en la Biblia. En su forma más sencilla, la sandalia era una suela de madera que se ataba con tiras de cuero. Los discípulos de Jesús usaban este tipo de calzado (Marcos 6:9). Cuando un ángel le apareció a Pedro en la cárcel, le dijo que se pusiera sus sandalias (Hechos 12:8). Todas las clases sociales de Palestina usaban sandalias, hasta las más pobres. En Asiria, las sandalias también cubrían el talón y el costado del pie. La sandalia y la "correa de calzado" eran tan comunes que simbolizaban lo más insignificante, como se ve en Génesis 14:23.

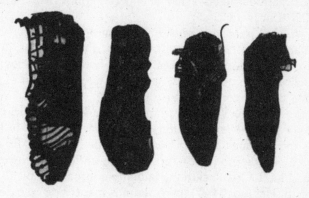

Sandalias. La mayor parte del pueblo en las tierras antiguas andaban descalzos o usaban sandalias. Los pobres no podían comprar zapatos, ya que que éstos se hacían de cuero suave, el cual era escaso. Las sandalias eran de cuero duro. Algunos piensan que los israelitas construían las suelas de madera, de caña, o de corteza de palma, y clavaban en ellas las correas. Los arqueólogos han hallado una gran variedad de sandalias antiguas. Las que aparecen en este cuadro son de Bretaña durante el tiempo de la ocupación romana. Se pueden ver las tachuelas en la segunda sandalia (de izquierda a derecha).

Los judíos no se ponían sus sandalias dentro de la casa (Lucas 7:38); se las quitaban al entrar a ella, y se lavaban los pies. El quitarse las sandalias era también una señal de reverencia. A Moisés se le ordenó que hiciera eso, cuando Dios le habló desde la zarza que ardía y no se consumía (Éxodo 3:5).

Los judíos consideraban que llevarle las sandalias a un individuo, o desatárselas, era una tarea muy humillante. Cuando Juan el Bautista habló acerca de la venida de Cristo, dijo: "Este es el que viene después de mí, el que es antes de mí, del cual yo no soy digno de desatar la correa del calzado" (Juan 1:27).

El hecho de andar sin sandalias era una señal de pobreza (Lucas 15:22) o de lamentación (2 Samuel 13:30; Isaías 20:2-4; Ezequiel 24:7, 23).

B. Ropa para ocasiones especiales. Los hombres judíos ricos poseían varias mudas de vestidos; cada conjunto consistía en una ropa interna y una externa. Algunas de estas mudas de vestidos se hacían de tela muy delgada y se usaban sobre vestidos de diversos colores (Isaías 3:22).

1. Mantos de honor. Con frecuencia, cuando se instalaba a un hombre en posición de honor o de importancia, se le daba un manto especial. A José se le dio tal manto cuando asumió una posición de liderazgo en Egipto (Génesis 41:42). Por otra parte, el hecho de quitarle el manto a un hombre indicaba que se lo destituía de su cargo. Un manto fino era señal de especial honor para un hombre en la familia (Lucas 15:22).

2. Vestiduras para las bodas. En las grandes ocasiones, el anfitrión daba mantos especiales a sus invitados. En las bodas judías, por ejemplo, el anfitrión ofrecía vestidos de boda a todos los invitados (Mateo 22:11). Algunas veces, todos los que formaban el grupo de invitados usaban coronas (Ezequiel 16:12).

3. Ropa de luto. Ver la sección anterior sobre el cilicio.

4. Ropa para el invierno. En el invierno, la gente de las tierras bíblicas usaba ropas de pelo o de pieles de animales. Esta clase de ropa para el invierno puede ser la que se indica en 2 Reyes 2:8 y en Zacarías 13:4. La gente extremadamente pobre usaba pieles comunes de ganado (Hebreos 11:37); pero algunos mantos de pelo de animales eran muy costosos y constituían parte del ropero real.

La ropa de piel de oveja sugería inocencia y mansedumbre; pero en Mateo 7:15 se alude a esta ropa como un símbolo del disfraz de los falsos profetas, quienes extravían al pueblo por el mal camino.

C. Adornos. Los hombres judíos usaban brazaletes, aros, cadenas y collares de diversas clases. En el Cercano Oriente, ambos sexos usaban cadenas de oro como adorno y demostración de dignidad. Los funcionarios del gobierno colocaron tales cadenas sobre José y sobre Daniel como símbolos de realeza (Génesis 41:42; Daniel 5:29). A los hombres judíos les gustaba mejorar su apariencia personal, y con frecuencia usaban joyas para lograr esto. El oficio de hacer joyas se desarrolló probablemente en un período muy antiguo (Números 31:50; Oseas 2:13).

1. Anillos. Los judíos usaban el anillo como sello y señal de autoridad (Génesis 41:42; Daniel 6:17). Con el anillo de sellar estampaban su sello personal en los documentos oficiales. Se podía usar con una cuerda colgando del cuello o en el dedo. Los hombres también usaban aros o bandas en el antebrazo (ver 2 Samuel 1:10).

Hasta nueve anillos se han hallabo en una sola mano de una momia egipcia, lo cual indica que el mercado de joyas era muy activo. En las batallas, los soldados les quitaban los brazaletes de los brazos y de los tobillos a sus enemigos como parte del despojo. Cuando el amalecita mató a Saúl, llevó el brazalete del rey muerto a David como prueba de la muerte de Saúl (2 Samuel 1:10).

2. Amuletos. En las naciones supersticiosas del Cercano Oriente, muchos pueblos tenían temor de espíritus imaginarios. Para protegerse de estos, usaban encantos mágicos. Los *amuletos* a que se refiere la Biblia eran zarcillos que usaban las mujeres (Génesis 35:4; Jueces 2:13; 8:24), o pendientes que colgaban de cadenas alrededor del cuello de los hombres. El amuleto tenía grabadas algunas palabras sagradas o la figura de algún dios. En otra forma de amuleto, las palabras se escribían en papiro, o en rollo de pergamino. Luego se enrollaba de forma compacta y se cosía dentro de un trozo de lino.

3. Filacterias. Para oponerse a la práctica idolátrica de usar amuletos, los hombres hebreos comenzaron a usar *filacterias*. Había dos clases de filacterias: una que se llevaba en la frente entre las dos cejas, y la otra que se usaba en el brazo izquierdo. La que se usaba en la frente se llamaba "frontal". Tenía cuatro compartimientos, cada uno de los cuales contenía un trozo de pergamino. En el primero estaba escrito Exodo 13:1-10; en el segundo, Exodo 13:11-16; en el tercero, Deuteronomio 6:4-9; y en el cuarto, Deuteronomio 11:13-21. Estos cuatro pedazos de papel se envolvían en piel de animal y se hacía un paquete cuadrado. Este pequeño paquete se ataba entonces a la frente por medio de una tirilla de cuero o con una cinta. Estos pasajes bíblicos contenían los mandamientos de Dios relacionados con recordar y obedecer su ley (por ejemplo, Deuteronomio 6:8).

La filacteria que usaba el hombre en su brazo se hacía de dos rollos de pergamino, sobre los que se escribía la ley con tinta especial. Los pergaminos se enrollaban parcialmente, y se guardaban en un estuche de piel de becerro negra, y este estuche se ataba con una tira de cuero a la parte superior del brazo izquierdo, cerca del codo. La tira se enrollaba luego en forma cruzada alrededor del brazo, hasta terminar en la punta del dedo del medio. Algunos hombres judíos usaban sus filacterias tanto por la tarde como por la mañana; otros las usaban sólo en la oración de la mañana. Las filacterias no se usaban en día de reposo ni en otros días sagrados; tales días en sí eran signos sagrados, de tal modo que en ellos era innecesario el uso de las filacterias.

Jesús condena a los fariseos, por cuanto "ensanchan sus filacterias" (Mateo 23:5). Los fariseos las hacían de mayor tamaño que las comunes y corrientes, de tal modo que los observadores que los vieran por causalidad pensaran que los fariseos eran muy santos.

D. Estilo del cabello. Los hombres hebreos pensaban que el cabello era un adorno personal importante, así que lo cuidaban bien y le prestaban mucha atención. Los monumentos asirios y egipcios presentan ejemplos de peinados elaborados de esas culturas. Los egipcios también usaban diversos tipos de pelucas. En Génesis 41:14 vemos una diferencia importante entre el estilo del cabello de los hebreos y el de los egipcios. Allí se nos dice que José "se afeitó" antes de presentarse ante Faraón. Si hubiera sido un egipcio, se hubiera conformado con peinarse el cabello y arreglarse la barba; pero los hombres hebreos se cortaban el cabello de manera muy parecida a la que acostumbra el hombre occidental moderno. Para esto utilizaban una primitiva especie de tijeras (2 Samuel 14:26). El verbo que en este versículo se tradujo "cortaba", significa *cortar el cabello de la cabeza*. Los judíos también usaban navajas, como lo vemos en Números 6:5.

Cuando algún hombre judío hacía un voto religioso, no se cortaba el cabello (ver Jueces 13:5). Los israelitas no debían raparse la cabeza de tal modo que se parecieran a los dioses paganos que tenían cabezas rapadas. Ni tampoco debían tener apariencia de nazareos, quienes se negaban a cortarse el cabello en absoluto (Ezequiel 44:20). En los tiempos del Nuevo Testamento se consideraba que el cabello largo en los hombres era contrario a la naturaleza (1 Corintios 11:14). Los hombres con frecuencia se aplicaban aceite perfumado sobre el cabello antes de los festivales o de las ocasiones de regocijo (Salmo 23:5). Jesús menciona esta costumbre en Lucas 7:46, cuando dice: "No ungiste mi cabeza con aceite."

Los hombres judíos también ponían mucha atención al cuidado de la barba. Era un insulto intentar tocarle la barba a un hombre, excepto cuando esto se hacía con respeto y afecto como señal de amistad (2 Samuel 20:9). El hecho de arrancarse la barba, de afeitársela del todo o el descuido en arreglársela, servían como expresión de profunda angustia (ver Esdras 9:3; Isaías 15:2; Jeremías 41:5). Los egipcios y los romanos preferían tener caras limpias y afeitadas, aunque los gobernantes egipcios usaban en realidad barbas artificiales.

E. El tocado. Aparentemente los hombres judíos se cubrían la cabeza en ocasiones especiales (Isaías 61:3), en días feriados o en tiempos de lamentación (2 Samuel 15:30). El tocado lo vemos por primera vez en Exodo 28:40, donde se menciona como parte de la vestidura sacerdotal: la tiara.

La túnica. La ropa interna o túnica, que se parecía al quimono, y que llegaba hasta las rodillas o hasta los tobillos, era la prenda de vestir que iba pegada a la piel. Hombres y mujeres usaban túnicas hechas de algodón, lino o lana. Se mantenía la túnica ajustada al cuerpo por medio de un cinto (que en general era un cinturón de cuero), y podía ser la única ropa que usaban los pobres en tiempo caluroso. Sin embargo, los ricos nunca aparecían en público sin estar cubiertos con mantos externos.

Los hombres hebreos usaban una cubierta para la cabeza sólo en ocasiones raras; pero los egipcios y los asirios las usaban con frecuencia. Algunas tocas antiguas eran muy complicadas, especialmente las que usaba la realeza. El hombre egipcio común usaba una toca sencilla que consistía en un trozo cuadrado de tela, doblado de tal manera que tres puntas colgaran por atrás y sobre los hombros. Este pudo haber sido el tipo de toca que usaron los hebreos.

Los asirios usaban una "tiara" muy parecida a un turbante alto (Ezequiel 23:15). Muy probablemente, los hombres sirios de Damasco usaban este tipo de turbante.

La ropa de las mujeres

Las mujeres usaban ropa muy parecida a la de los hombres. Sin embargo, la ley prohibía estrictamente que una mujer usara cualquier prenda que se pensara que pertenecía particularmente a algún hombre, como por ejemplo, la sortija de sello y otros adornos. Según Josefo, el historiador judío, a las mujeres también se les prohibía usar las armas del hombre. Por el mismo motivo también se les prohibía a los hombres usar el manto externo que usaban las mujeres (Deuteronomio 22:5).

A. La ropa interna. Esta ropa la usaban ambos sexos, y se hacía de lana, algodón o lino.

B. La ropa externa. El manto externo de la mujer hebrea se distinguía del manto externo del hombre. Era más largo y tenía suficiente borde y fleco para cubrir los pies (Isaías 47:2; Jeremías 13:22). Se lo aseguraban a la cintura por medio de un cinto. Tal como ocurría en el caso de los hombres, la ropa de las mujeres podía hacerse de diversos materiales, según la condición social de la persona.

La parte delantera del manto externo de la mujer era suficientemente larga como para plegarla hacia arriba sobre el cinto a fin de que sirviera como delantal. La palabra "delantal" se menciona por primera vez en Génesis 3:7, donde se nos dice que Adán y Eva se hicieron "delantales" con hojas de higuera. Este artículo de vestir pudo haberse parecido hasta cierto punto a nuestro delantal moderno. El delantal pudo haberse usado para proteger la ropa durante el trabajo, o para llevar algo (ver Rut 3:15).

C. El velo. Las mujeres hebreas no usaban velo todo el tiempo, como se acostumbra ahora en muchas tierras del Cercano Oriente. Usar un velo era un acto de modestia que por lo general indicaba que la mujer que lo usaba no era casada. Cuando Rebeca vio por primera vez a Isaac, no tenía el velo puesto; pero se cubrió con un velo antes que Isaac la viera (Génesis 24:65). Las mujeres de los tiempos del Nuevo Testamento se cubrían las cabezas para la adoración, pero no se cubrían necesariamente las caras (1 Corintios 11:5).

D. El pañuelo. La palabra hebrea *mispachoth*, que se tradujo "pañuelo", podría traducirse mejor con nuestras palabras *servilleta* o *toalla*. Estos pedazos de tela se usaban para envolver cosas que se llevaban (Lucas 19:20), para secar el sudor del rostro, o para cubrir la cara de los muertos.

Algunos comentaristas piensan que la servilleta que servía para los muertos se les colocaba desde debajo del mentón hasta la parte superior de la cabeza con el objeto de impedir que se les aflojara la mandíbula inferior (Juan 11:44). En Juan 20:7 se nos dice que la servilleta que cubría el rostro del Señor se halló enrollada en un lugar aparte, y no donde estaban los lienzos de lino en que fue envuelto el Señor.

A menudo, las mujeres de las naciones modernas del Cercano Oriente llevan pañuelos con bellos bordados. Esta pudiera haber sido también una costumbre de los tiempos antiguos.

E. Sandalias. Las mujeres judías usaban sandalias como los hombres. Había muchas variedades de la sandalia común. La suela de las sandalias podía hacerse de la piel fuerte del cuello de los camellos. Algunas veces se cosían varias capas de piel para dar espesor a la suela.

Un tipo de sandalias para mujeres tenía dos tiritas de cuero: la una pasaba entre el dedo grande del pie y el que le sigue, y la otra daba vuelta al talón y pasaba por encima del empeine. Con este calzado era fácil descalzarse al entrar en la casa.

F. Adornos. Las joyas de las mujeres se mencionan por primera vez en la Biblia cuando el siervo de Abraham dio un pendiente y dos brazaletes a Rebeca (Génesis 24:22). Bien indicó Jeremías que la mujer judía era atraída por las joyas cuando dijo: "¿Se olvida la virgen de su atavío. . .?" (Jeremías 2:32). Las mujeres hebreas usaban brazaletes, collares, pendientes, aros en la nariz y cadenas de oro. Isaías 3:16, 18-23 son pasajes que nos ofrecen una descripción gráfica de la mujer adornada a la moda en los tiempos del Antiguo Testamento.

1. Brazaletes. Los hebreos, tanto mujeres como hombres, usaban brazaletes (Génesis 24:30). Hoy los pueblos del Cercano Oriente piensan que el brazalete de una mujer es un símbolo de su alta condición o de su realeza, como probablemente lo fue en el tiempo de David (2 Samuel 1:10). El brazalete real probablemente se hacía de algún material precioso, como el oro, y se usaba más arriba del codo. El brazalete de la mujer común puede que se haya usado en la muñeca de la mano, como se usa hoy (Ezequiel 16:11).

La mayor parte de los brazaletes para mujeres se hacían como aros enterizos para que se deslizaran sobre la mano. Algunos brazaletes se hacían de dos piezas que se abrían por medio de una bisagra, y se cerraban con un nudo o un pasador. Los brazaletes variaban de tamaño, desde el que tenía varios centímetros de ancho hasta las delgadas bandas.

2. Aros para los tobillos. Las mujeres usaban aros en los tobillos en forma tan común como usaban los de los brazos. Los de los tobillos se hacían más o menos de los mismos materiales (Isaías 3:16, 18, 20). Algunos aros de tobillo producían un tintineo musical cuando la mujer caminaba. Las mujeres de la clase alta usaban en los tobillos aros cóncavos que llenaban con piedrecitas, de tal modo que al andar ellas se oyera el matraqueo.

3. Zarcillos. Entre los hebreos y los egipcios, sólo las mujeres usaban zarcillos (ver Jueces 8:24). Entre los asirios, tanto hombres como mujeres los usaban.

No estamos seguros en cuanto a la forma que tenían los pendientes hebreos, pero los pasajes bíblicos sugieren que eran redondos (ver, por ejemplo, Génesis 24:22). Los zarcillos egipcios por lo general consistían en grandes aros de oro, que tenían de tres a cinco centímetros de diámetro y se usaba uno solo en cada oreja. De vez en cuando se unían varios aros, o se les incrustaban piedras preciosas para hacerlos más llamativos.

Las naciones paganas usaban zarcillos algunas veces como amuletos. (Ver en este capítulo una sección anterior que trata sobre los amuletos.) Esto lo vemos cuando la familia de Jacob se mudó de Siquem a Bet-el (Génesis 35:4), y entregaron sus zarcillos.

4. *Joyas para la nariz.* El aro para la nariz de la mujer, o las joyas para la nariz, fueron algunos de los adornos más antiguos que se usaron en el Oriente. El aro se hacía de marfil o de metales preciosos en los cuales se incrustaban piedras preciosas. Algunas veces estas narigueras tenían más de seis centímetros de diámetro y colgaban por encima de los labios de la mujer. La costumbre de usar narigueras aún persiste en algunas partes del Cercano Oriente, especialmente entre las bailarinas y en la clase baja del pueblo. Sin embargo, no tenemos evidencias de que las mujeres hebreas usaran narigueras.

5. *Las bolsas.* La palabra hebrea *charitim*, que se tradujo "bolsas" en Isaías 3:22 y en 2 Reyes 5:23, y que en la Versión Autorizada [en inglés] se tradujo de igual manera en 2 Reyes 5:23, aunque en Isaías 3:22 se tradujo *"crisping pins"* (algo así como *prendedores brillantes)*, sólo aparece estas dos veces en la Biblia. No estamos seguros en cuanto a qué clase de joya pudo haber sido, ni siquiera de que fuera algún tipo de joya.

6. *Cosméticos y perfumes.* Las mujeres egipcias y asirias usaban la pintura como cosmético. Se pintaban las pestañas y los bordes de los párpados con un polvo negro y fino que humedecían con aceite y vinagre, con lo que lograban un efecto parecido al maquillaje moderno.

Las mujeres hebreas también se pintaban las pestañas. Pero esta práctica se miraba por lo general con desprecio, como ocurrió en el caso de Jezabel (2 Reyes 9:30). El hecho de pintarse los ojos se menciona con desdén en Jeremías 4:30 y en Ezequiel 23:40.

Algunas mujeres se teñían los dedos de las manos y de los pies con alheña. Esto era especialmente cierto de las mujeres egipcias, quienes también tatuaban sus manos, pies y cara.

Las mujeres de la antigüedad usaban perfumes en forma muy parecida como los usan las mujeres de hoy. Las más correlativas materias primas para la obtención de perfumes en tiempos bíblicos eran el incienso y la mirra de Arabia y Africa, los áloes y los nardos de la India, la canela de Aylon, gálbano de Persia, y el incienso y el azafrán de la propia Palestina. El perfume constituía un artículo de valor en el comercio (Génesis 37:25).

En Exodo 30:4-38 se nos dice que los hebreos hacían un perfume que se usaba en los ritos del tabernáculo. Pero la ley prohibía el uso personal de este perfume.

7. *Estilo del cabello.* El apóstol Pablo dijo que el cabello era un velo natural, o cubierta para la mujer; él indica que en su tiempo era vergonzoso que una mujer cristiana se cortara el cabello (1 Corintios

11:15). Las mujeres llevaban el cabello largo y trenzado. El talmud menciona que las mujeres judías usaban peinetas y prendedores para el cabello.

Entre las mujeres egipcias y asirias, los peinados eran mucho más complejos que los que usaban las hebreas, según lo indican los monumentos de ese tiempo.

8. *Tocado.* Las mujeres judías usaban el tocado hasta cierto punto, pero el apóstol Pablo instó a las mujeres cristianas a que se ataviaran de manera decorosa (1 Timoteo 2:9). Las mujeres pudieran haber usado oro o piedras preciosas para adornarse (1 Pedro 3:3), según la práctica de los países vecinos.

El velo que usaban algunas veces las mujeres judías difícilmente pudiera considerarse como un tocado, aunque en realidad cubría la cabeza. En contraste con tal velo, el tocado de otras mujeres del Cercano Oriente era complicado y costoso, lo cual dependía de la riqueza y de la posición social de la mujer.

Ropa sacerdotal

La ropa sacerdotal era muy diferente de la del judío común y corriente. Además, la ropa del sumo sacerdote se distinguía de la de los simples sacerdotes.

A. Calzoncillos. Entre los hebreos, sólo los sacerdotes usaban calzoncillos. En algunos países vecinos, los hombres comunes y corrientes usaban tanto calzoncillos como pantalones.

Los judíos usaban lino fino para hacer esta prenda de vestir para los sacerdotes. Aparentemente servía como ropa interior, a fin de que el sacerdote no expusiera su desnudez al subir las gradas del templo o al servir en el altar (Exodo 28:42, 43). Esta ropa interior cubría el cuerpo del sacerdote desde la muñeca de las manos hasta las rodillas. En vez de ser a manera de pantaloncillos, los "calzoncillos" eran probablemente un doble delantal. Hay otros pasajes en que se mencionan estos "calzoncillos": Exodo 39:28; Levítico 6:10; 16:4; Ezequiel 44:18.

B. El efod o manto. Los sacerdotes también usaban mantos de lino blanco cuando se hallaban de servicio en el templo. Estos mantos se tejían sin costura, y se ataban a la cintura con un cinto bordado (Exodo 28:31-34). El manto de Jesús tampoco tenía costura, lo que indicaba de manera simbólica su sacerdocio universal (Juan 19:23; Hebreos 4:14, 15). El manto del sacerdote casi le cubría los pies y al tejerlo se le daba forma de diamante o de tablero de ajedrez.

C. La tiara. Esta prenda para la cabeza la usaban los sacerdotes ordinarios. Se hacía de lino fino (Exodo 39:28). La palabra hebrea *migbaoth*, de la cual se tradujo "tiara" significa *ser prominente*.

D. Calzado. Durante todos sus oficios religiosos, los sacerdotes debían estar descalzos. Antes de entrar en el tabernáculo, debían lavarse las manos y los pies. "Y puso la fuente entre el tabernáculo de reunión y el altar, y puso en ella agua para lavar. Y Moisés y Aarón y sus hijos lavaban en ella sus manos y sus pies" (Exodo 40:30, 31). El área en que los sacerdotes estaban de pie se consideraba tierra santa, como aquella en que Moisés vio la zarza que ardía y no se consumía (Exodo 3:5).

El cuidado del cabello. En Levítico 21:5 vemos que la calvicie incapacitaba a un hombre para ser sacerdote. Al sacerdote no le estaba permitido raparse la cabeza, ni rasgar sus vestiduras, ni siquiera para lamentar la muerte de su madre o de su padre (Levítico 21:10, 11).

La ropa del sumo sacerdote

Una de las distinciones que separaban al sumo sacerdote de los demás sacerdotes era el hecho de que se le rociaban las vestiduras con el aceite de la unción (Exodo 28:41; 29:21). Cuando moría el sumo sacerdote, sus ropas se le pasaban a su sucesor.

La confección de la ropa. La ropa que usaban los hebreos servía como símbolo externo de los sentimientos y deseos más profundos del individuo. Las ocasiones festivas y alegres exigían colores brillantes, mientras que cuando el judío estaba de luto se ponía cilicio, que era la clase de ropa más pobre. Las familias israelitas hacían la mayor parte de su propia ropa. En esta escena familiar, el padre está haciendo sandalias de cuero, mientras la madre cose un manto con material que ella misma ha tejido.

Las vestiduras del sumo sacerdote tenían siete partes: el efod, el manto del efod, el pectoral, la mitra, la túnica bordada, el cinto, y los calzoncillos (Exodo 28:42).

A. El efod. Las vestiduras del sumo sacerdote se hacían de lino puro (1 Samuel 2:18; 2 Samuel 6:14); y de igual material se hacía la ropa de todos los sacerdotes. Pero el efod del sumo sacerdote se hacía de "oro, azul, púrpura, carmesí y lino torcido" (Exodo 28:6). Esto indica que tenía que ser una mezcla de lana y lino, puesto que sólo el lino se podía teñir de azul. El término "obra primorosa" se refiere a alguna clase de bordado.

El efod tenía dos partes: la una cubría la espalda y la otra el pecho del sumo sacerdote. Esta prenda de vestir se aseguraba en cada hombro por medio de una gran piedra de ónice.

El cinto del efod se hacía de tela azul, púrpura y carmesí, que se entretejía con hilo de oro (Exodo 28:8).

B. El manto del efod. Este era de material inferior al del efod, y estaba teñido de azul (Exodo 39:22). Se usaba debajo del efod, y era más largo que este. No tenía mangas; sólo tenía en los lados aberturas para los brazos.

La falda de este manto tenía un borde adornado con granadas, en azul, púrpura y carmesí; y entre granada y granada había una campanilla de oro. Estas campanillas estaban atadas en la parte de abajo del manto del sumo sacerdote de tal modo que se oyeran cuando él entraba al santuario o salía de él (Exodo 28:32-35).

C. El pectoral. El pectoral del sumo sacerdote se describe detalladamente en Exodo 28:15-30. Era un pedazo cuadrado de tela bordada que medía unos 25,4 centímetros de lado, y era doble, de tal modo que formara una bolsa o saquillo. Esta prenda sacerdotal estaba adornada con doce piedras preciosas, cada una de las cuales tenía el nombre de una de las doce tribus de Israel (Exodo 28:9-12). Los dos ángulos superiores se ataban al efod, del que no debían separarse (Exodo 28:28). Los dos ángulos inferiores debían atarse al cinto. Los anillos, cadenas y otros elementos para asegurar estos ángulos eran de oro y azul.

Al conjunto de pectoral y efod se le daba el nombre de "memorial" (Exodo 28:12, 29), pues servían para que el sacerdote recordara su relación con las doce tribus de Israel. Al pectoral también se lo llamaba "el pectoral del juicio" (Exodo 28:15), posiblemente por el hecho de que lo usaba el sacerdote, quien era el vocero de la justicia y del juicio de Dios para la nación judía. También pudo haberse llamado así por cuanto tenía una parte que contenía el Urim y Tumim, elementos con los cuales se echaban las suertes sagradas que indicaban los juicios de Dios contra los hombres (ver Números 26:55; Josué 7:14; 14:2; 1 Samuel 14:42).

D. La mitra. La mitra, o turbante superior, era la toca oficial del sumo sacerdote (Exodo 28:39). Se hacía de lino, tenía muchos pliegues y una longitud de alrededor de 7,3 metros.

Este largo lienzo se enrollaba alrededor de la cabeza en forma de turbante. Al frente de la mitra estaba una placa de oro que tenía escritas las palabras. SANTIDAD A JEHOVA (Exodo 28:36-38; 39:28, 30).

E. La túnica bordada, el cinto y los calzoncillos. La túnica bordada era una prenda especial de falda larga, que se hacía de lino y se le bordaban diseños especiales que daban la apariencia de que tenía incrustadas piedras preciosas (Exodo 28:4). Los sacerdotes comunes también usaban esta túnica.

El sumo sacerdote se enrollaba el cinto alrededor del cuerpo varias veces desde el pecho hacia abajo. Las puntas del cinto colgaban hasta los tobillos (Exodo 29:5). Debajo de las vestiduras sacerdotales, el sumo sacerdote usaba el mismo tipo de calzoncillos que usaban los demás sacerdotes.

La capa. La capa era un manto externo con mangas. El cinto, que algunas veces estaba adornado con metales preciosos, piedras preciosas, o bordado, mantenía esta prenda de vestir pegada al cuerpo.

9

La arquitectura y los muebles

a gente moderna admira la arquitectura clásica de Grecia y de Roma, con sus elevadas columnas de mármol y con sus arcos elaboradamente decorados. Pero Israel produjo muy poca arquitectura que se pudiera decir fuera innovativa o imponente. Los israelitas diseñaban sus edificios y sus muebles de modo que sirvieran para satisfacer las necesidades diarias, sin darle mucha importancia a los rasgos estéticos. Con todo, sus edificios y su mobiliario algo nos dicen acerca del estilo de vida del pueblo.

Las moradas más comunes en el mundo antiguo eran las tiendas, que se hacían enterrando postes, sobre los que se extendían cubiertas de tela o de pieles. El morador de la tienda usaba cuerdas para atar esta cubierta a las estacas que clavaba en la tierra (ver Isaías 54:2). A veces la gente usaba cortinas para dividir las tiendas en habitaciones; cubriendo el suelo con esteras o alfombras. La puerta consistía en un trozo de tela plegada que podía bajarse y subirse. El morador de la tienda encendía el fuego en un hoyo que hacía en el centro del piso de esta. Los utensilios de cocina eran reducidos y simples, y se podían llevar fácilmente de un lugar a otro.

Cuando la gente comenzó a establecerse en ciudades, construyeron hogares más permanentes. Desarrollaron — según parece — sus capacidades para la arquitectura desde época temprana. En la época en que los cananeos y los asirios ya habían construido ciudades, los hebreos aún vivían en tiendas. No fue sino hasta después que conquistaron la Tierra Prometida que ellos abandonaron sus simples costumbres. Fue entonces cuando poseyeron las casas que los cananeos abandonaron.

La Biblia nos dice que los israelitas construyeron costosas mansiones en Judea (ver Jeremías 22:14; Amós 3:15; Hageo 1:4). Estas eran para los ricos; los demás vivían aún en tiendas o en muy toscos albergues.

Los ricos construían sus casas en forma de conventos; es decir, alrededor de un patio abierto. La persona entraba en la casa por una puerta que de ordinario se mantenía cerrada, siendo atendida por alguien que actuaba como portero (ver Hechos 12:13). Esta puerta daba acceso a un pórtico donde había asientos o bancos. El individuo caminaba entonces por este pórtico hacia un corto tramo de gradas que conducía hacia las cámaras y al patio cuadrangular interno.

El patio central

El patio era el centro de la casa judía. Probablemente fue allí donde Jesús estaba sentado cuando un grupo de hombres bajó a un paralítico para ponerlo "en medio, delante de Jesús" (Lucas 5:19). El patio estaba diseñado de tal modo que entraran la luz y el aire en los cuartos que se hallaban alrededor de él. El patio estaba pavimentado con baldosas o con piedras que permitían la salida del agua que entrara por el tragaluz. Algunas veces, el propietario lo construía alrededor de una fuente o de un pozo (ver 2 Samuel 17:18).

En las fiestas, la multitud se reunía en el patio de la casa del anfitrión (ver Ester 1:5). Por lo general el anfitrión ofrecía esterillas, alfombras, y sillas a sus invitados, e incluso se solía colocar un toldillo sobre el tragaluz. Los cuartos, que estaban situados alrededor del patio, sólo tenían puertas hacia éste, de tal modo que cuando una persona entraba en la casa o salía de ella tenía que cruzar por el patio. En siglos posteriores, los constructores comenzaron a erigir balcones o galerías fuera de los cuartos, que daban hacia el patio central.

Una sencilla escalera de piedra o madera conducía desde el patio a los cuartos de arriba y al techo. Las casas más grandes podían tener más de una escalera.

A. La habitación del señor de la casa. En el lado del patio que estaba frente a la entrada, se hallaba la sala de recepción del señor de la casa. Esta estaba hermosamente amueblada: tenía una plataforma y un reclinatorio por tres de sus lados. Esta servía de cama durante la noche y de asiento durante el día. Los invitados se quitaban las sandalias antes de entrar en la parte elevada del cuarto.

Los cuartos asignados a la esposa y a las hijas estaban por lo general en el segundo piso, pero algunas veces se hallaban a nivel del patio central. Nadie, que no fuera el señor de la casa, podía entrar en esos apartamentos. Por el hecho de que el propietario dedicaba los gastos mayores a esas habitaciones, algunas veces se denominaban "palacios de la casa" (1 Reyes 16:18; 2 Reyes 15:25). Otras veces se les daba el nombre de "la casa de las mujeres" (Ester 2:3; compárese con 1 Reyes 7:8-12).

B. Cuartos domésticos. Suponemos que en la antigua Judea, la gente usaba la planta baja con fines domésticos, como ocurre hoy en

Palestina: para guardar alimentos, como lugar para dormir los siervos y así por el estilo. Estos cuartos de abajo eran pequeños y estaban amueblados escuetamente.

Las habitaciones de arriba

Cuando la persona ascendía por las escaleras al segundo piso, hallaba que aquellas cámaras eran grandes y aireadas, y a menudo estaban amuebladas con mucho más elegancia que los cuartos de abajo. Estas habitaciones superiores eran también más altas y más grandes que las de abajo, y se proyectaban sobre la parte inferior del edificio de tal modo que sus ventanas quedaban sobre la calle. Estas habitaciones estaban retiradas y eran espaciosas y bien cómodas.

Croquis de una casa. Este dibujo representa una residencia grande en una antigua aldea israelita. A juzgar por las normas modernas, la casa israelita promedio era pequeña e incómoda. La azotea era un lugar predilecto para descansar. Allí se llegaba por unas gradas de piedra o por una sencilla escalera de madera.

Pablo predicó su sermón de despedida en una habitación de esta clase. Podemos imaginarnos que la multitud tuvo que ponerse en dos círculos o filas; el círculo de afuera quedaría junto a la pared, y las personas estarían recostadas sobre cojines junto al bastidor de la ventana. En esa posición se quedó dormido Eutico, cayendo a la calle (Hechos 20:7-12).

A. La alliyah. Algunas veces los judíos construían otra estructura que se llamaba la *alliyah*, sobre el pórtico o entrada de la casa. Sólo consistía de uno o dos cuartos y se levantaba un piso por encima de la casa principal. El dueño de la casa la usaba para agasajar a los forasteros, para guardar vestuarios, o para descansar y meditar. Jesús se refirió probablemente a la *alliyah* cuando dijo: "entra en tu aposento" para orar (Mateo 6:6). Había gradas que conducían directamente de la calle a la *alliyah*, pero otro tramo de gradas la conectaba con el patio central de la casa. La *alliyah* ofrecía un lugar mucho más privado para la adoración que la azotea principal de la casa, cuyo espacio podía ser ocupado por toda la familia.

La Biblia pudiera referirse a la *alliyah* cuando menciona un "pequeño aposento" para Eliseo (2 Reyes 4:10), o cuando se refiere a la "sala de verano" de Eglón (Jueces 3:20-23); o cuando habla de "la sala de la puerta" (2 Samuel 18:33); o de "la azotea de la sala" de Acaz (2 Reyes 23:12); o de Ben-adad, cuando "se escondía de aposento en aposento" (1 Reyes 20:30).

B. La azotea. En los tiempos bíblicos, la azotea era parte importante de una casa. Se podía subir al techo por un tramo de escaleras situado por la parte de afuera de la pared. En la mayoría de los casos la azotea era plana; pero algunos constructores hacían cúpulas sobre los cuartos más importantes. La ley judía exigía que cada casa tuviera un pretil o barandilla alrededor de la azotea para evitar que alguno se cayera de allí (Deuteronomio 22:8). Las casas que estaban una junta a la otra a menudo compartían la misma azotea, y se hacían unas paredes bajas sobre el terrado que establecían el límite de cada casa.

Los constructores cubrían las azoteas con un tipo de cemento que se endurecía con el sol. Si la azotea se agrietaba, el propietario tenía que esparcir una capa de grasa sobre esta a fin de que el agua de lluvia no penetrara (ver 2 Reyes 19:26; Salmo 129:6). Algunas casas tenían tejas o ladrillos planos en la azotea.

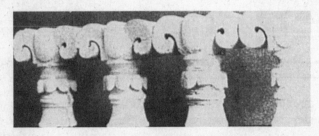

Balaustrada de ventana. Esta fila de columnas de piedra, hallada en Ramat Rahel, al sur de Israel (de alrededor del año 600 a.C.), parece haber sido una balaustrada de ventana. Probablemente estuvo pintada de rojo, ya que se hallaron huellas de pintura roja en los trozos que se usaron para reconstruir las columnas. Estas columnatas adornaron una vez el palacio del rey Joacim.

Los israelitas usaban sus azoteas como lugar para el retiro y la meditación (Nehemías 8:16; 2 Samuel 11:2; Isaías 15:3; 22:1; Jeremías 48:38). En estas azoteas, llamadas "terrados", ellos secaban lino, granos y otros frutos (Josué 2:6). Algunas veces montaban tiendas sobre el terrado y allí dormían durante la noche (2 Samuel 16:22).

Se usaban las azoteas para tener conferencias privadas (1 Samuel 9:25). También subían allí para la adoración en privado (Jeremías 19:3; 2 Reyes 23:12; Sofonías 1:5; Hechos 10:9). Y desde allí hacían anuncios a gritos, o deploraban con lamentación la pérdida de algún ser amado (Jeremías 48:38; Lucas 12:3).

Ventanas y puertas

En las casas antiguas, las ventanas eran sencillamente aberturas rectangulares que había en la pared, dirigidas hacia el patio central o hacia la calle. Algunas veces los israelitas hacían un balcón o pórtico que se proyectaba por todo el frente de la casa, y tenían el cuidado de encerrarlo con rejas. Ellos abrían la ventana del balcón sólo en fiestas y en otras ocasiones especiales. Suponemos que Jezabel se estaba asomando por una ventana externa de esa clase, cuando fue atrapada por Jehú, quien le dio muerte (2 Reyes 9:30-33). Esta era la ventana probablemente denominada "celosía" (Proverbios 7:6; Cantar de los Cantares 2:9).

Los israelitas no tenían ventanas de vidrio por cuanto este era bien caro.

Las puertas de las casas antiguas no se colocaban con visagras. El quicial o poste de la puerta se proyectaba como un madero circular desde la parte superior hasta la inferior. La parte superior de este madero encajaba en un quicio o boquilla situado en el dintel, y la punta inferior caía en un quicio situado en el umbral. Estos son los términos que usa la Versión Reina-Valera, revisión de 1960, para referirse al madero fundamental en que giraba la puerta (1 Reyes 7:50; Proverbios 26:14).

Con frecuencia, los constructores equipaban la puerta principal de la casa con una cerradura y su llave. Estas llaves se hacían de madera o de metal, y algunas eran tan grandes que llamaban la atención cuando se llevaban en público (Isaías 22:22). Los tesoreros y otros funcionarios civiles cargaban estas inmensas llaves como símbolo de su alto cargo.

Sitios donde se encendía el fuego

Las casas antiguas no tenían chimeneas, aunque algunas versiones usan esta palabra en Oseas 13:3. El humo del hogar o fogón se escapaba por medio de orificios que había en el techo y en las paredes. El mismo fogón no era un elemento permanente; era una pequeña estufa de metal o brasero (ver Jeremías 36:22, 23). Como era fácil llevar esta estufa de un lugar a otro, los reyes y los generales la usaban con frecuencia en sus campañas militares.

Mesa de Jericó. En una tumba de Jericó se halló esta larga mesa que tiene dos patas de un lado y una sola del otro.

El Partenón

El Partenón de Atenas es uno de los ejemplos más excelentes de la arquitectura clásica griega. Representa físicamente el antiguo enfoque racional y armonioso de la vida que tenían los griegos. Además, es una maravilla de diseño arquitectónico.

Los griegos habían erigido antes por lo menos una estructura en el sitio del Partenón, en 488 a.C., cuando construyeron una estructura masiva como ofrenda de gratitud por la victoria que lograron sobre los persas en Maratón. El fundamento de piedra para este edificio llegó a una profundidad de seis metros en la roca de la Acrópolis. Sin embargo, la mayor parte de la obra que estaba sobre tales bases en este sitio fue destruida cuando los persas saquearon la Acrópolis en 480 a.C.

Los griegos comenzaron a construir el Partenón en 447 a.C., y lo terminaron en 438 a.C., cuando lo dedicaron a Atenea Partenos, diosa patrona de Atenas. Los fondos para la construcción de este edificio fueron provistos por el gobierno de Pericles.

El edificio se diseñó con el objeto de crear una ilusión óptica. La parte superior de las columnas dóricas del Partenón se inclina hacia el centro de cada columnata, las gradas forman curva hacia arriba en el centro, y las columnas están más ampliamente espaciadas en el centro de cada fila que en los lados. Esto hace que parezca que las columnas están equidistantes. (Si verdaderamente hubieran quedado equidistantes, el ángulo de perspectiva hubiera hecho que no se viera un espacio igual entre ellas).

Hay ocho columnas por el frente y ocho por la parte de atrás del Partenón, y diecisiete por cada lado. El Partenón tiene un área central, o *cella*, que a su vez se divide en cámaras. Una columnata interna sostenía originalmente la gran estatua del culto a Atenea, que fue una obra maestra del escultor Fidias. Esta estatua no sobrevivió, pero tenemos conocimiento sobre su apariencia general por medio de copias más pequeñas y por las representaciones de dicha estatua en monedas antiguas. El viajero griego Pausanias, en el siglo segundo d.C., vio esta estatua y la describió.

Todo el Partenón fue hecho de mármol, incluso las baldosas del techo. Los griegos no usaron argamasa ni cemento en la estructura; ellos hicieron cuadrar los bloques de mármol con la mayor exactitud y los aseguraron con grapas de metal y clavijas.

Una banda ornamental de esculturas en bajo relieve (friso) decora el Partenón. Estas decoraciones representan combates entre los dioses como Zeus, Atenea y Poseidón. También repre-

sentan jinetes, grupos de carrozas, y ciudadanos de Atenas.

Los griegos usaron el color para destacar la belleza del Partenón. El techo raso del peristilo lo pintaron de rojo, azul, y oro o amarillo. Una banda que corre junto al friso la pintaron de rojo, y el color acentuaba la escultura y los accesorios de bronce dentro del Partenón.

El Partenón tuvo una historia variada. Ya en el año 298 a.C., Lachares despojó a la estatua de Atenea de las placas de oro. En 426 d.C., el Partenón se convirtió en una iglesia cristiana, y los turcos la convirtieron en una mezquita en 1460. En 1687, los venecianos, que estaban combatiendo a los griegos, usaron el Partenón como depósito de explosivos. En ese tiempo se produjo accidentalmente una explosión que destruyó la parte central del edificio. No se le hicieron reparaciones mayores hasta 1950, cuando los ingenieros volvieron a colocar las columnas caídas en su puesto y repararon la columnata del norte.

Métodos de construcción

Hemos estado describiendo una casa típica de personas ricas. Todas no eran iguales a la que hemos descrito; algunas eran más lujosas que esta, y otras eran más sencillas. Con todo, los israelitas usaban métodos tradicionales de construcción en todos sus hogares.

Establos. Los arqueólogos descubrieron estas ruinas de un amplio complejo de establos en Meguido, capaz de albergar hasta 480 caballos. Este es el complejo de establos de la parte norte que consiste de cinco unidades, en cada una de las cuales se pueden acomodar unos veinticuatro caballos. Los excavadores, al principio atribuyeron estos establos a Salomón; pero posteriores investigaciones han demostrado que datan del tiempo de Acab, quien vivió varias generaciones después.

A. Los hogares de los ricos. Los materiales para construir eran abundantes en Palestina. Los propietarios de hogares que eran prósperos podían obtener piedra y ladrillos y la mejor madera para el trabajo ornamental de sus casas. Con frecuencia usaban piedra labrada (Amós 5:11) y mármol muy bien pulido (1 Crónicas 29:2; Ester 1:6). También usaban grandes cantidades de cedro para los recubrimientos internos de las paredes y para el techo raso, en los cuales a menudo había molduras de oro, plata y marfil (Jeremías 22:14; Hageo 1:4). Tal vez el hecho de que les encantaba el marfil explica las alusiones de la Biblia a "la casa de marfil" y a "palacios de marfil" (ver, por ejemplo, 1 Reyes 22:39; Salmo 45:8; Amós 3:15).

Los ricos terratenientes también edificaban "casa[s] de invierno" y "casa[s] de verano", a fin de estar cómodos durante esas estaciones del año (Amós 3:15). Ellos hacían casas de verano parcialmente subterráneas y las pavimentaban con mármol. Estas casas por lo general tenían fuentes en el patio central, y se construían de tal forma que permitieran la entrada de corrientes de aire fresco. Esto hacía que fueran muy frescas en los tórridos calores del verano. Es muy poco lo que sabemos acerca de la construcción de las casas de invierno.

Obtenemos una vislumbre del método de construcción típico de los tiempos del Antiguo Testamento, cuando leemos sobre la manera en que Sansón destruyó el templo de los filisteos (Jueces 16:23-30). Los enemigos de Sansón lo introdujeron en el patio central del templo, que estaba rodeado por una serie de balcones, cada uno de los cuales estaba sostenido por una o dos columnas. Allí se reunían los funcionarios para hacer transacciones públicas, y para dar agasajos públicos. Al caerse las columnas, el edificio se desplomaría, y la gente que estaba en los balcones caería al pavimento de abajo.

B. Los hogares de los pobres. Las casas del común del pueblo eran chozas de un solo cuarto con paredes de barro. Los constructores reforzaban estas paredes con varas y juncos, o con estacas que cubrían de barro. De modo que las paredes eran muy inseguras, y con frecuencia se convertían en criaderos de serpientes e insectos asquerosos (Amós 5:19). La familia y sus animales ocupaban el mismo cuarto, aunque algunas veces las personas dormían en un tablado por encima de los animales. Las ventanas de estas chozas eran pequeños orificios que se hacían en la parte alta de la pared, que en algunos casos tenían barras.

La Biblia da advertencia con respecto a la "plaga de lepra en alguna casa" (Levítico 14:34-53), la que probablemente era una reacción química que se producía en las paredes de barro de los hogares más pobres. Los israelitas entendían que esta "lepra" perjudicaría su salud; así que los sacerdotes ordenaban que se destruyera la casa.

Los labriegos hacían muy bajas las puertas de sus hogares. El individuo tenía que agacharse para entrar. Esto mantenía afuera a las bestias salvajes y a los enemigos. Algunos dicen que era un medio para evitar que las bandas de asaltantes árabes entraran a caballo en las casas.

La ceremonia de dedicación de la casa

Los israelitas dedicaban sus nuevos hogares a Dios antes de establecerse en ellos (Deuteronomio 20:5). Suponemos que celebraban este evento con gran gozo, y pedían la bendición de Dios para la casa y para las personas que vivirían en ella.

Los muebles

A nuestra manera de ver, las casas mejor amuebladas de Palestina nos hubieran parecido vacías. En los pisos de mármol de la casa del hombre rico, hubiéramos visto bellas alfombras, y sobre los bancos, cojines de tela fina. Pero los israelitas ricos no tenían la gran variedad de muebles a que estamos acostumbrados; las personas pobres tenían aun menos. Un hombre próspero podía tener una estera o una piel para recostarse durante el día, una especie de colchoneta para dormir en la noche, un taburete, una mesa baja y un brasero: hasta ahí llegarían sus muebles. Notemos que la rica sunamita amuebló el cuarto para Eliseo sólo con una cama (tal vez sólo era un colchón), una mesa, una silla y un candelero (2 Reyes 4:10-13).

El Herodium

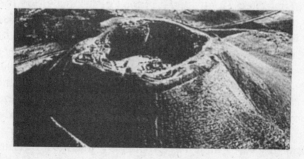

El Herodium. Herodes el Grande construyó magníficas estructuras para su propia comodidad y protección. Entre estos proyectos se contaron su palacio fortaleza de Masada y el Herodium. En caso de una insurrección o de una derrota militar, cualquiera de los dos lugares le hubiera ofrecido una fuerte defensa. El Herodium, que también fue diseñado como sepulcro para Herodes, permanece como un tributo al obsesivo temor de este hombre. Es una de las fortalezas más grandes que jamás se haya construido para proteger a un hombre.

El Herodium se halla a unos 11 kilómetros al sur de Jerusalén, y a cinco kilómetros al sureste de Belén, a una altura de 700 metros sobre el nivel del mar. Fue construido en el lugar donde Herodes en el año 40 a.C. derrotó a las fuerzas de los asmoneos y sus aliados. Era para Herodes un lugar de gratos recuerdos. Josefo, el historiador judío del siglo primero, narra la construcción del Herodium en el año veinte a.C., y también el desfile fúnebre de Herodes. Esta fue una de las tres últimas fortalezas que quedaron en manos de los judíos fuera de Jerusalén, cuando esta ciudad fue destruida por los romanos en el año 70 d.C. El Herodium también sirvió como centro rebelde durante la revuelta de Barcoquebas (132-135 d.C.).

Corbo V. condujo cuatro temporadas de excavación en el Herodium (1962-1967). G. Foester hizo una obra de restauración y de exploración en el sitio del Herodium en 1967 y 1970, y E. Netzer dirigió una excavación en el mismo sitio en 1972. La obra que estos realizaron en conjunto, puso al descubierto una asombrosa estructura que ciertamente fue la hazaña más grande de ingeniería realizada en el tiempo transcurrido entre los dos Testamentos bíblicos.

Al verlo desde lejos, el sitio luce como un cono recortado. La estructura consiste de cuatro torres — tres semicirculares y una circular — rodeadas por una cortina circular de pared, cuyo diámetro externo es de 55 metros. Este muro doble tiene, entre pared y pared, un pasaje de tres metros de ancho. De seguro que al poco tiempo de haber sido construido, se acumularon arena, piedra y desechos de la construcción alrededor de la parte externa de los muros, con lo que sólo la cima quedó al descubierto. Fue así que el montículo adquirió forma cónica.

La mitad oriental del espacio interno del Herodium consistió de un patio abierto rodeado de columnas corintias, en el que había una *exedra* (área situada fuera de la puerta donde había asientos para conversaciones informales) en cada lado. En la mitad occidental estaba incluido un complejo de baños muy bien decorados. Allí había un grupo de cuartos entre los que estaba incluido un comedor que ocupaba el lado sur. Este comedor fue convertido en sinagoga, evidentemente cuando algunos de los seguidores de Barcoquebas estuvieron allí en el siglo segundo. Por encima de los cuartos occidentales se levantaba un segundo piso y posiblemente también un tercer piso. Estos se usaban como cuartos de vivienda.

En el interior de la colina se había cavado una red de inmensas cisternas. Había un acueducto que llevaba el agua desde los estanques de Salomón, situados cerca de Belén, hasta el sitio. En una inscripción en un pedazo de cerámica hallado por los arqueólogos en este sitio, se menciona a Herodes.

En la base norte de la colina, Netzer descubrió un complejo de estructuras. Había un palacio que medía alrededor de 53 por 122 metros, desde el que se extendía un balcón de observación sobre lo que parece haber sido un hipódromo de unos trescientos metros de longitud, un estanque, un edificio para servicios y otras estructuras no identificadas. Obviamente, Herodes tenía la intención de vivir con elegancia y ser enterrado con esplendor.

Por el hecho de que los pisos de las más elegantes mansiones eran de baldosas o de yeso, a menudo había necesidad de barrerlos o de fregarlos (ver Mateo 12:44; Lucas 15:8). Por la noche, los residentes tendían gruesos colchones para dormir. Las personas más pobres usaban pieles con el mismo fin. En la habitación del rico había un banco que ocupaba dos o tres lados de ella. Este banco generalmente tenía unos treinta centímetros de altura, y sobre él había una cubierta acolchada. Durante el día el señor se sentaba allí; pero en uno de los lados del cuarto, este banco tenía mayor altura; esta parte era la que de ordinario se usaba para dormir (ver 2 Reyes 1:4; 4:10). Además de este banco, las personas muy ricas tenían camas que se armaban, de madera, marfil y otros materiales costosos (Amós 6:4; Deuteronomio 3:11). Estas camas se hicieron más comunes en los tiempos del Nuevo Testamento (Marcos 4:21).

Los israelitas usaban algunos de sus mantos externos como ropa para dormir (Exodo 22:26, 27; Deuteronomio 24:12, 13). Antes de acostarse a dormir por la noche, simplemente se quitaban las sandalias y el cinto. La almohada de los hebreos fue probablemente una piel de cabra rellena de lana, plumas o algún otro material suave. La gente más pobre de Palestina usa estas pieles como almohadas hoy.

Los reyes y otros gobernantes exigían un estrado para sus pies cuando se sentaban en el trono (2 Crónicas 9:18), pero era raro ver un mueble de esta clase en hogares privados.

Por otra parte, las lámparas eran muy comunes. Estas ardían con aceite de oliva, brea, nafta o cera, y tenían mechas de algodón o de lino. (Una tradición judía dice que los sacerdotes hacían con sus vestiduras viejas las mechas para las lámparas del templo.) Los israelitas más pobres hacían sus lámparas de arcilla, mientras los ricos las tenían de bronce y de otros metales.

Los israelitas dejaban sus lámparas encendidas toda la noche, pues la luz hacía que se sintieran más seguros. Se nos dice que la familia prefería pasar sin comer que permitir que se extinguiera la luz de sus lámparas, ya que esto indicaría que ellos habían abandonado la casa. Por eso, cuando Job predice la ruina de los impíos dice: "Ciertamente la luz de los impíos será apagada, Y no resplandecerá la centella de su fuego. La luz se oscurecerá en su tienda, Y se apagará sobre él su lámpara" (Job 18:5, 6). El escritor del libro de Proverbios alaba a la mujer virtuosa al decir: "Su lámpara no se apaga de noche" (Proverbios 31:18). Hay otros cuantos pasajes bíblicos que indican que la lámpara simbolizaba la vida y la dignidad de la familia (ver Job 21:17; Jeremías 25:10).

Armazón de bronce para una cama. Esta cama, hallada en Tell el-Far'ah, al sur de Israel, fue reconstruida con accesorios de bronce para las patas, y con los tirantes de hierro que las mantienen unidas. La mayoría de los israelitas dormían sobre colchones o esteras en el piso. Sólo los ricos podían darse el lujo de tener camas, las cuales llegaron a ser más comunes en los tiempos del Nuevo Testamento.

Aunque los muebles de los israelitas eran sencillos, vivían con mucho más comodidad que la que tuvieron sus antepasados, quienes vagaban con sus ganados. En el tiempo de Jesús, el hogar típico era pulcro y limpio, y tenía la belleza funcional que era común en los hogares de otros países influidos por la cultura helénica. Aunque Palestina estaba dominada por Roma, fueron pocas las personas que adoptaron los gustos ornamentales de los romanos.

10
La música

a Biblia ofrece muy poca información acerca de las formas musicales hebreas y de la manera en que se desarrollaron. Por esta razón, si deseamos aprender algo acerca de la música de los tiempos bíblicos, tenemos que combinar el estudio bíblico con la historia y la arqueología.

El desarrollo de la música hebrea

La historia de la música hebrea comienza con la primera persona que golpeó una roca con un palo, y se extiende hasta la orquesta del templo y hasta el "sonido de alabanza" al que el Salmo 150 hace referencia. Aquel primer músico oyó el ritmo cuando golpeó su primitivo instrumento. Cuando las personas comenzaron a comprender que podían hacer música, crearon instrumentos más complejos.

Por ejemplo, a David se le atribuye haber inventado varios instrumentos, aunque no sabemos precisamente cuales fueron (véase Amós 6:5). David seleccionó un coro de cuatro mil personas para alabar al Señor, "con los instrumentos que he hecho para tributar alabanzas" (1 Crónicas 23:5; compárese con 2 Crónicas 7:6; Nehemías 12:6). David también compuso cantos, como su lamento por la muerte de Saúl y Jonatán.

Aunque Dios dirigió el desarrollo social y religioso de Israel, la nación absorbió ideas de las culturas que la rodeaban. Israel se hallaba en una encrucijada geográfica y estaba expuesto a las ideas y costumbres — incluso al estilo musical — de todas partes del mundo (Génesis 37:25).

Muchos hombres de Israel se casaron con mujeres extranjeras cuyas costumbres fueron penetrando gradualmente en el estilo de vida hebreo. Según la colección de escritos judíos posteriores al tiempo bíblico que se llama el *Midrash*, el rey Salomón se casó con una egipcia cuya dote incluyó mil instrumentos musicales. Si esto es cierto, no hay duda de que ella llevó músicos consigo para que tocaran tales instrumentos a la manera tradicional egipcia.

El propósito al cual servía la música y la manera de reaccionar los oyentes a ella también influyó en el desarrollo de la música hebrea. En tiempos de guerra, con frecuencia era necesario hacer sonar una alarma o enviar alguna otra clase de señal urgente. Fue así que los hebreos desarrollaron el *shophar*, instrumento que se parece a una trompeta y tiene tonos altos y penetrantes (Exodo 32:17, 18; Jueces 7:18-20). La fiesta alborozada y la frivolidad exigían los tonos livianos y felices de la flauta (Génesis 31:27; Jueces 11:34, 35; Mateo 9:23, 24; Lucas 15:23-25).

A. Música para distraer. Los líderes hebreos que servían en el templo tenían el gran cuidado de no usar música que estuviera relacionada con el culto sensual de los paganos. En las culturas en que los ritos de la fertilidad eran comunes, las mujeres cantaban y tocaban instrumentos que incitaban a las orgías sexuales en honor a sus dioses. Aun se limitó algunas veces el uso de instrumentos que no estaban relacionados con las prácticas paganas. Por ejemplo, los sacerdotes temían que un tono feliz y melodioso que se tocara en el templo podía distraer de la adoración la mente de alguno. El profeta Amós condenó a aquellos "que gorjean al son de la flauta" (Amós 6:5).

Por supuesto, hubo ocasiones en que las distracciones de la música eran útiles. Las calmantes cuerdas del arpa de David aliviaron al atormentado Saúl (1 Samuel 16:23). Después que Daniel fue encerrado en el foso de los leones, el rey Darío se retiró a su palacio, y se negó a que le trajeran "instrumentos de música" (Daniel 6:18).

La música era una parte importante de la vida diaria. Las fiestas, las bodas y los funerales no estaban completos sin música. Hasta la guerra dependía de la música, pues se hacían sonar instrumentos especiales para llamar a la batalla. La necesidad que tenía la aristocracia de diversión y esparcimiento era lo que patrocinaba a los músicos y sus habilidades artísticas.

B. Música para la adoración. La música también era parte de la vida religiosa de Israel. El culto formal de los israelitas observaba varios ritos prescritos por Dios. La música servía como acompañamiento a estos ritos.

La música del templo era ejecutada por cantores y una orquesta. Los cantores y músicos sólo podían proceder de los varones de ciertas familias. De igual modo, los tipos de instrumentos estaban restringidos. En la orquesta del templo estaba prohibido el uso de los instrumentos que estuvieran relacionados con las mujeres y con la parranda estridente (tales como el *sistrum* egipcio).

El Antiguo Testamento enumera varias clases de instrumentos que había en la orquesta del templo (ver 1 Crónicas 15:28; 16:42; 25:1). Entre estos instrumentos estaban incluidos el arpa grande (*nevel*), la lira (*kinnor*), el cuerno de carnero (*shophar*), la trompeta (*chatsotserah*), el pandero (*toph*), y los címbalos (*metsiltayim*). Después que los israelitas regresaron del exilio y volvieron a edificar el templo, se restableció la orquesta (ver Nehemías 12:27). Probablemente en este tiempo se incluyó la flauta (*halil*), y la música vocal se hizo más prominente.

Además de servir para la adoración formal dentro del templo, la música constituía parte integral de otras actividades religiosas. Los instrumentos que no se permitían dentro del templo, se podían tocar en otras funciones religiosas, tales como los festivales. Con frecuencia, la fiesta comenzaba con una proclamación musical; luego: la música, el canto, e incluso la danza formaban parte de la celebración. En estas festividades se permitía la participación de las mujeres que cantaban y tocaban (Esdras 2:65; Nehemías 7:76; 2 Crónicas 35:25).

C. Los límites de nuestro conocimiento sobre la música. El Antiguo Testamento raras veces menciona las formas de música, o el origen del los instrumentos, o cosas por el estilo. La manera de tocar o de hacer instrumentos pasó [de una generacón a otra] por tradición oral, y no por documento escrito. La mayor parte de esa tradición oral se ha perdido, y sólo nos queda una sucinta información en la Biblia.

Músicos de cuerno y tambor. Este relieve en basalto, procedente de Carquemis, Siria (del siglo dieciocho o el diecinueve a.C.), representa a cuatro músicos: uno toca un cuerno curvo; otro lleva un gran tambor; y otros dos golpean el tambor con las manos abiertas. El hombre que se ve a la derecha parece que tiene una especie de banda que le cuelga del cuello para ayudarle a sostener el tambor.

Son muy pocos los instrumentos que se preservan aún en condición intacta; así que tenemos que imaginarnos cómo eran y cómo sonaban. Al comparar lo que dice la Biblia con los artefactos de otras culturas, los historiadores y arqueólogos han ayudado a llenar muchas lagunas de nuestro conocimiento acerca de la música de los tiempos bíblicos.

Este estudio es un proceso continuo, como lo demuestran las traducciones más nuevas de la Biblia. Si comparamos pasajes relacionados con la música que se hallan en la Versión Reina-Valera con otras versiones más recientes de la Biblia, podemos notar algunas diferencias. Las siguientes listas de instrumentos ofrecen el nombre que la Versión Reina-Valera da para los instrumentos que se mencionan, junto con los hallazgos de interpretación más recientes.

Tipos de instrumentos

Los instrumentos musicales se dividen en tres clases básicas, según la manera en que producen sonido: (1) Instrumentos de cuerda, a los que se les hacen vibrar las cuerdas para que produzcan sonido; (2) instrumentos de percusión, en los que se produce sonido haciendo vibrar una membrana o una lámina de metal; y (3) instrumentos de viento, que producen sonido al hacerse pasar el aire por una caña que vibra.

A. **Instrumentos de percusión.** El pueblo de Israel usó una variedad de instrumentos de percusión para dar ritmo a su música. El ritmo era el elemento esencial de su poesía y de sus cantos.

Ejecutantes egipcias. Esta pintura hallada en una tumba de Tebas (de alrededor del siglo quince a.C.), representa a mujéres egipcias que tocan instrumentos musicales y danzan. De izquierda a derecha, vemos a una que toca el arpa, una que toca el laúd, una joven que danza, una que toca el caramillo de doble tubo, y una que toca una lira de siete cuerdas. La parte inferior de la estructura del arpa está adornada con una piel de leopardo.

1. Campanillas. Había una clase de campanilla que tenía un nombre (*metsilloth*) procedente de una palabra hebrea que significa *retiñir* o *resonar*. Este tipo de campanilla sólo se menciona una vez en la Biblia (Zacarías 14:20), donde se nos dice que los israelitas ataban estas campanillas a las riendas o las pecheras de los caballos.

Había otra campanilla de oro puro (*paamonim*). Se ataba al borde del manto del sumo sacerdote en forma alternada con granadas ornamentales (Exodo 28:33, 34). Estas campanillas sólo producían un sonido cuando se tocaban la una con la otra, pues no tenían badajos. Este tintineo significaba que el sumo sacerdote se estaba presentando delante de Dios; si otros se atrevían a entrar en el Lugar Santísimo, morían (versículo 35).

2. Castañuelas. Ver en esta misma sección el No. 3 y el No. 4, que se refieren a los címbalos y al sistro.

3. Címbalos. Los címbalos (*meziltayim* o *tziltazal*) se hacían de cobre y eran los únicos instrumentos de percusión que había en la orquesta del templo. Se usaban cuando el pueblo celebraba y alababa a Dios. Junto con las trompetas y los cantores, expresaban el gozo y la gratitud al Señor (1 Crónicas 15:16; 16:5). Asaf, el músico principal de David (1 Crónicas 16:5), tocaba címbalos. Cuando el pueblo regresó de la cautividad, fueron llamados los descendientes de Asaf para que alabaran al Señor junto con los cantores y trompetistas (Esdras 3:10).

En algunos pasajes, como en 1 Crónicas 16:5, algunas versiones traducen una palabra hebrea que se traduce por *castañuelas*. Ahora se cree por lo general que esta traducción no es exacta y que la palabra que conviene como traducción es "címbalos", tal como aparece en nuestra Versión Reina-Valera.

4. El sistro. Esta palabra es la traducción correcta del término que la Versión Reina-Valera tradujo "panderos" en 2 Samuel 6:5. [La versión del rey Jacobo — en inglés — tradujo "castañuelas", utilizando la palabra *coronet*, la que se traduce: *guirnalda, corona pequeña*] El sistro era una pequeña estructura en forma de U que tenía un asa pegada en el fondo de la curva. En pequeñas barras que se extendían de un lado al otro del sistro, se le colgaban trozos de metal u otros objetos.

El uso del sistro se remonta al antiguo Egipto y tiene sus instrumentos equivalentes en otras culturas antiguas. Era sólo un instrumento para hacer ruido, que tocaban las mujeres, tanto en ocasiones de regocijo como de tristeza.

5. Tamborín. Ver en el No. 6 lo relativo al pandero.

6. El pandero. Los músicos modernos clasificarían este instrumento como un *membranófono*, debido a que el sonido es producido por una membrana que vibra. Es correcto traducir el término hebreo por medio de nuestros términos "pandero" o "tamborín". En nuestra Versión Reina-Valera aparecen las dos palabras. Este instrumento era cargado y se golpeaba con las manos. En tiempos muy primitivos pudo haber sido hecho de dos membranas, y haber tenido trozos de bronce insertados en el contorno.

7. El gong. El "metal" que se menciona en 1 Corintios 13:1 era realmente un gong metálico. Se usaba en bodas y en otras ocasiones de regocijo.

B. Instrumentos de cuerda. Los arqueólogos han hallado fragmentos de arpas y de otros instrumentos de cuerda en Egipto y en otros países vecinos del Cercano Oriente. La Escritura describe varios instrumentos de cuerda que se usaban en Israel.

1. La zampoña. Este término sólo aparece en la Biblia en Daniel 3:5, 7, 10, 15. No es una traducción precisa. Ver en el No. 2 lo relativo al arpa.

2. El arpa. El arpa [que en la Versión Reina-Valera también se tradujo *salterio, vihuela* o *zampoña*] era un instrumento favorito de la clase aristocrática y se hacía de manera espléndida (1 Reyes 10:12; 2 Crónicas 9:11). Se usaba en la orquesta del templo y fue escogida para que alzase "la voz de alegría" (1 Crónicas 15:16).

Laúd. Esta placa de terracota procedente de Iraq (de alrededor del año 2.000 a.C.) representa a un músico que toca un laúd triangular de tres cuerdas. El laúd lo tocaban por lo común las mujeres, y pudo haber sido uno de los "instrumentos de música" que se mencionan en 1 Samuel 18:6.

¿La música escrita más antigua?

Recientemente, un erudito descubrió evidencias controversiales que sugieren que los antiguos egipcios produjeron música escrita durante los mismos siglos en que levantaron la gran esfinge de Gizeh, hace unos 4.500 años. Maureen M. Barwise sostiene haber descifrado jeroglíficos musicales que se remontan a la cuarta dinastía del antiguo reino, aproximadamente 2.600 a.C.

Según la traducción de ella, tal música se escribió básicamente en una sola línea melódica. Las más primitivas piezas sagradas incluían arpas y flautas acompañadas por panderos y palos de percusión, a los que se unieron posteriormente las trompetas, los laúdes y las liras.

La señorita Barwise sostiene que los músicos egipcios usaban una escala que tenía "saltos", y así producían una música bella, a pesar de sus obvias peculiaridades. Ella anota que esos tonos eran similiares a los tonos del antiguo folklore céltico, galo, y escocés, con melodías como el zumbido monótono de la gaita de las regiones montañosas de Escocia.

La investigadora se dedicó a la rara tarea de reproducir cierto número de tonos, para lo cual los trasladó al teclado de la clave de sol. Según la señorita Barwise, los egipcios entendían el tiempo, el diapasón, la armonía y los acordes armónicos, además de conocer la melodía básica. Parece que los tonos adaptados cubrían una variedad de modos musicales, desde uno algo festivo de la composición "Hermosa ave de la luna del Nilo" hasta otro que era más bien una marcha majestuosamente grande: "Honor al fuerte brazo de Faraón".

La música egipcia se consideraba sagrada. Por tanto, su composición estuvo regida estrictamente por la ley, y no se desarrolló mucho a través de los siglos.

Las pinturas murales, los relieves y la literatura de la antigüedad demuestran claramente que los egipcios eran músicos muy capacitados. Muchos expertos creen que esta música primitiva se preservó en forma escrita; pero la teoría establecida por los arqueólogos sostiene que estas melodías fueron una tradición oral.

La transposición que ha hecho la señorita Barwise de jeroglíficos a notas musicales desafía a la antigua escuela de pensamiento, y su erudición ha recibido muy poca aceptación. Algunos críticos concuerdan con David Wulton, en el sentido de que su obra no es nada más que "una extraña fantasía al estilo de Tolikein (construida) con el material menos promisorio".

---

3. Laúd. Este instrumento triangular de tres cuerdas pudo haber sido uno de los "instrumentos de música" que se mencionan en 1 Samuel 18:6. Generalmente lo tocaban las mujeres y estaba excluido de la orquesta del templo.

4. La lira. Dos términos hebreos se tradujeron por medio de la palabra *lira*. [En la Versión Reina-Valera se usa la palabra *arpa*.] Uno de ellos se menciona sólo en un libro de la Biblia (Daniel 3:5, 7, 10, 15). Este tipo de lira en particular *(nevel)* se usaba con frecuencia en la música popular, como en la fiesta alborozada del banquete de Nabucodonosor. Se tañía con los dedos.

Había una lira más pequeña *(kinnor)*, considerada como un instrumento muy complicado. Su forma y el número de cuerdas variaban, pero todos los tipos de liras producían un sonido bien agradable. La lira se usaba en ámbitos seculares (Isaías 23:16), pero también fue bien aceptada en el uso sagrado. Fue el instrumento que usó David para aliviar al rey Saúl. Por lo general, esta "lirita" se tocaba con un plectro, con el que se golpeaban las cuerdas, de manera muy parecida al uso que hoy se le da al plectro para tocar la guitarra. Parece, sin embargo, que David prefería usar sus dedos en vez del plectro (1 Samuel 16:16, 23; 18:10; 19:9). Hábiles artesanos hacían liras de plata y de marfil, y las decoraban de manera espléndida.

Relatos históricos con música

En sentido superficial, la música de los antiguos griegos y hebreos parece que tuvo poco en común. Los griegos cantaban acerca de sus dioses y de las batallas mitológicas; los hebreos, por su parte, dedicaban sus cantos a alabar al único Dios. Pero hay un importante eslabón entre la música griega y la hebrea, el cual incluye la poesía, el canto y la religión. Ese eslabón es la épica.

Los estudiantes de literatura saben que la épica es un largo poema narrativo que presenta las obras de los dioses o de los héroes tradicionales de una manera exaltada. El siglo octavo a.C. vio la creación de dos grandes épicas griegas: la *Ilíada* y la *Odisea*, las cuales se atribuyen a Homero. La *Ilíada* describe el choque armado entre los griegos y los troyanos "en los sonoros llanos de la venteada Troya". La *Odisea* relata la peregrinación llena de aventuras de Odiseo, en su viaje de regreso a Grecia, después de la caída de Troya.

Los griegos compusieron muchas de sus épicas con música. La música ayudaba a los narradores a recordar las palabras de las épicas, las cuales tendían a ser poemas sumamente largos en que había docenas de versos y muchos nombres de personas y de lugares. Al ponerle ritmo a los versos, los narradores descubrieron que podían recordar más fácilmente la intrincada historia que tenían que narrar.

Los griegos no usaron estas narraciones cantadas como parte de su adoración. (Los templos griegos se usaban para albergar los dioses, no para asambleas religiosas.) El uso del canto épico en la adoración comenzó con los hebreos, siglos antes de que se escribiera la épica griega. Los primeros cantos hebreos de adoración surgieron del sentimiento religioso hacia Dios en momentos importantes.

Por ejemplo, la primera vez que aparece registrado un relato histórico con música fue cuando María, la hermana de Moisés, cantó con gozo después que los judíos escaparon de los hombres de Faraón (Exodo 15:19-21). Muchos de los Salmos fueron poemas épicos (por ejemplo, Salmos 114, 136, 137); y los profetas irrumpieron algunas veces en cantos épicos (por ejemplo, Isaías 26; Habacuc 3).

Los hebreos no aplicaron melodías intrincadas a sus épicas. La escala tonal de sus cantos probablemente no era grande, y ellos seleccionaban instrumentos rítmicos y no instrumentos melódicos. Las melodías de los salmos y de otras historias cantadas eran bien conocidas en su tiempo, y probablemente las cantaban los coros en versos. Está claro que los hebreos llegaron a considerar que sus narraciones cantadas eran parte esencial de su adoración. La música de ellos brotó del alma del pueblo, cuya vida diaria estaba ordenada en conformidad con la religión.

---

5. Salterio. Ver lo relativo al arpa en el No. 2 de esta misma sección.

6. El trigón. Entre los instrumentos que se mencionan en el libro de Daniel, con frecuencia se menciona el trigón (Daniel 3:5, 7, 10, 15). [En la versión del rey Jacobo — en inglés — se tradujo incorrectamente "*sackbut*", es decir, *sacabuche*; pero este instrumento no se inventó hasta varios siglos después de los tiempos bíblicos. Es necesario anotar que ninguno de estos nombres figura en la Versión Reina-Valera. Por "*sackbut*", *sacabuche*, que aparece en cuarto lugar en cada uno de los versículos indicados, nuestra versión utiliza la palabra "arpa" — nota del traductor —.]

No sabemos cuál fue la forma exacta ni el tamaño del trigón. Parece que este instrumento se tomó prestado de los babilonios y, por tanto, no era común entre los instrumentos de Israel.

8. Vihuela. Ver en el No. 2 de esta sección lo relativo al arpa.

C. Instrumentos de viento. A pesar del conocimiento limitado que tenían los israelitas del trabajo con metales, crearon una variedad de cuernos y otros instrumentos de viento.

Ejecutantes de lira cautivos. Tres cautivos que ejecutan liras (posiblemente judíos de Laquis) son conducidos a través de una zona montañosa por un soldado asirio que está armado con garrote y arco. La lira producía un sonido dulce cuando sus cuerdas eran pulsadas con un plectro (que era un pedazo delgado de hueso o metal). Este relieve en alabastro procede de las ruinas del palacio de Senaquerib en Nínive (704-681 a.C.).

1. Clarinete. El clarinete primitivo fue un instrumento popular en los tiempos bíblicos. Se menciona en Isaías 5:12; 30:29; Jeremías 48:36. No es correcta la traducción "flauta" que aparece en estos versículos. Entre los pasajes del Nuevo Testamento que se refieren al mismo instrumentos están Mateo 9:23; 11:17; Lucas 7:23; 1 Corintios 14:7. El clarinete probablemente no se usaba en el templo, pero era un instrumento popular que se usaba en banquetes, bodas y funerales.

2. Corneta. Ver en este mismo capítulo lo que se refiere a trompeta, cuerno, y sistro.

3. Flauta. La flauta (*mashrokitha*) realmente era un tubo largo. [En la Versión Reina-Valera se tradujo "flauta" tanto la palabra que se refiere a clarinete como la que realmente se refiere a la flauta.] Como era un tubo largo y tenía una boquilla, producía un sonido penetrante y agudo, algo parecido al del oboe. La flauta era popular en la música secular y en la religiosa, pero no se menciona como instrumento del templo. A causa de su sonido penetrante, se usaba en las procesiones (Isaías 30:29).

4. Organo. Ver en el No. 5 de esta sección el comentario sobre el término "flautas".

5. Flautas. Este término por lo general se refiere a un instrumento de viento que se usaba para expresar un gozo desenfrenado o un lamento extático. Por lo general se cree que fuera un instrumento secular, aunque en el Salmo 150:4 se menciona su uso en el templo para la celebración religiosa.

En la Versión Reina-Valera se utilizó el término "flauta" para traducir la palabra hebrea que en otras versiones se tradujo "órgano".

6. El cuerno. Se entiende mejor cuando se dice "cuerno de carnero", como en Josué 6:4, 6, 8, 13. En la Versión Reina-Valera se utilizaron para traducir esta palabra hebrea diversos términos: "bocina", "trompeta", "cuerno" (ver 1 Crónicas 15:28; 2 Crónicas 15:14; Oseas 5:8). Este instrumento estaba diseñado para hacer ruido, no música; así que no podía tocar melodías. Se usaba para dar señales y anunciar ocasiones especiales, como la ocasión en que se trasladó el arca (2 Samuel 6). También se usaba para hacer que huyeran aterrorizados los espíritus malignos y los dioses de los enemigos (Zacarías 9:14, 15).

7. *La trompeta*. La trompeta era similar al cuerno, pero la usaban los sacerdotes. A veces se usaban en pares (Números 10:1-10). Originalmente se mandaron a hacer dos para el templo; pero el número podía aumentarse hasta 120, lo cual dependía del propósito (2 Crónicas 5:12).

Las trompetas se hacían de huesos, conchas o metales (bronce, cobre, plata, oro), todos los cuales producían un ruido alto y estridente. Por lo general se cree que estas trompetas, como los cuernos, no podían producir sonidos en varios diapasones, como para dar música (melodía). Sin embargo, podían producir notas ligadas y entrecortadas, y trinos. De este modo podían comunicar señales complicadas para anunciar asamblea, batalla y emboscada.

Gedeón usó trompetas para aterrorizar al enemigo (Jueces 7:19, 20). Juan oyó el sonido de una trompeta antes de recibir la visión del Apocalipsis (Apocalipsis 1:10). De hecho, las trompetas se hallan entre los símbolos prominentes del juicio (1 Corintios 15:52; 1 Tesalonicenses 4:16; Apocalipsis 8:2).

11
El culto y sus rituales

l pueblo de Israel adoraba al Dios viviente de diversas maneras y en diferentes lugares en el transcurso del año. Es importante notar el efecto que sus ritos de adoración producían en sus vidas diarias.

En primer lugar, necesitamos entender cómo concebía el pueblo de la Biblia al Dios que adoraban. Moisés dijo al pueblo de Israel: "Porque tú eres pueblo santo para Jehová tu Dios; Jehová tu Dios te ha escogido para serle un pueblo especial, más que todos los pueblos que están sobre la tierra" (Deuteronomio 7:6). Dios los escogió, no por ninguna cosa que ellos hicieran o fueran, sino porque Jehová los "amó" (Deuteronomio 7:8). Dios les demostró este amor de varias maneras. El fue fiel a su pacto (versículo 9): destruyó a sus enemigos (versículo 10); los bendijo con buenas cosechas (versículo 13); y les quitó sus enfermedades (versículo 15).

En respuesta a las acciones de Dios, los israelitas eran un pueblo agradecido. El salmista dijo: "Bueno es alabarte, oh Jehová, Y cantar salmos a tu nombre, oh Altísimo; anunciar por la mañana tu misericordia, y tu fidelidad cada noche" (Salmo 92:1, 2).

Ellos temían a Dios. Uno de sus sabios dijo: "El principio de la sabiduría es el temor de Jehová" (Proverbios 1:7). Estas respuestas se expresaban en su adoración. Por supuesto, los israelitas respondían a Dios con toda una gama de pensamientos y emociones; pero la gratitud y la reverencia caracterizaban su relación con El.

También necesitamos entender cómo se trataban Dios y el pueblo de Israel el uno al otro. Por ejemplo, es fácil ver a Dios en la vida de los patriarcas. El le dio a Sara la capacidad de tener hijos en una edad avanzada (Génesis 18:9, 10). El probó a Abraham y salvó a Isaac de la muerte (Génesis 22). El hablaba con las personas, y ellas con El (Génesis 13:14-17; 15:2). Pero a los israelitas nunca se les permitió que vieran a Dios; Moisés tuvo que esconder su rostro de la presencia de Dios, "porque tuvo miedo de mirar a Dios" (Exodo 3:6).

Veremos cómo expresaban los israelitas su gratitud y reverencia al

Padre celestial, y cómo se dedicaban a la adoración.

Antes del tiempo de Moisés

La primera vez que se menciona claramente un acto de adoración se halla en Génesis 4:2-7: "Y Abel fue pastor de ovejas, y Caín fue labrador de la tierra. Y aconteció andando el tiempo, que Caín trajo del fruto de la tierra una ofrenda a Jehová. Y Abel trajo también de los primogénitos de sus ovejas, de lo más gordo de ellas." Los hijos de Adán y Eva reconocieron que Dios les había dado "toda planta" y "toda bestia" (Génesis 1:29, 30). Por tanto, le trajeron sencillas ofrendas a El. No sabemos precisamente dónde ni cómo se presentaron las ofrendas. Pero se nos dice que ellos presentaron dos tipos de ofrendas, y que la de Caín fue rechazada y la de Abel aceptada.

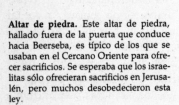

Altar de piedra. Este altar de piedra, hallado fuera de la puerta que conduce hacia Beerseba, es típico de los que se usaban en el Cercano Oriente para ofrecer sacrificios. Se esperaba que los israelitas sólo ofrecieran sacrificios en Jerusalén, pero muchos desobedecieron esta ley.

Este breve relato nos dice dos cosas muy importantes sobre la adoración: En primer lugar, Dios reconoce la adoración. No sabemos si El les había hablado a los hermanos en este sitio en particular antes de ese día. Pero ese día Dios les habló (Génesis 4:6) y actuó (Génesis 4:4, 5), mientras ellos adoraban. Dios hizo que este tiempo fuera santo para ellos. En segundo lugar, Dios es el punto focal de la adoración. La Escritura no menciona altar alguno ni tampoco que estos hombres hayan pronunciado una sola palabra. No sabemos qué oraciones pudieran haber ofrecido. Pero se nos dice lo que Dios hizo: la acción de Dios fue la parte esencial de la adoración.

La Escritura no nos dice por qué Caín y Abel presentaron ofrendas a Dios, sino sencillamente que lo hicieron "andando el tiempo". Podemos suponer que querían dar ofrendas en gratitud por lo que Dios les había dado. Sabían que Dios los había bendecido y que continuaría bendiciéndolos. Así que estaban motivados, no sólo por los acontecimientos pasados, sino por las esperanzas que tenían para el futuro. Sus sacrificios tuvieron un propósito doble: dar gracias a Dios por lo que El les había dado, y manifestar la confianza de que El les continuaría dando. Es importante recordar ambos aspectos de la adoración, sin darle más mérito al uno que al otro.

No podemos estar seguros en cuanto al por qué la ofrenda de Abel fue aceptada y la de Caín rechazada. Hasta ese momento no se ha hablado de ningún principio relacionado con los sacrificios. La clave pudiera aparecer en el versículo 7: "Si hicieres bien, ¿no serás enaltecido?" Dicho esto en otros términos: el carácter defectuoso de Caín pudo haber hecho que su sacrificio perdiera su significado.

Este es el primer caso que se registra del sacrificio de un animal. Con el paso del tiempo, el pueblo aprendió que Dios honraba y aceptaba los sacrificios que ellos le ofrecían.

Los patriarcas erigieron altares e hicieron sacrificios en todos los lugares donde se establecían (ver Génesis 8:20; 12:7, 8). También erigieron monumentos de piedra. Jacob tomó la piedra que había usado como cabecera "y la alzó por señal, y derramó aceite encima de ella" (Génesis 28:18-22). El le dio el nombre de Bet-el, es decir, casa de Dios.

Los patriarcas también designaron árboles sagrados (por ejemplo, véase, Génesis 12:6; 35:4; Deuteronomio 11:30; Josué 24:26) y pozos sagrados (Génesis 16:14). Estos objetos les recordaban lo que Dios había hecho en su vida en determinadas ocasiones.

Los patriarcas construyeron sencillos altares de tierra y piedra (montones de piedras que servían de altares) para sacrificar ofrendas de animales. De hecho, la palabra hebrea que comúnmente se tradujo "altar" (*mizbeach*) significa literalmente un lugar de sacrificio".

Parece no haber habido ningún sacerdocio formal en el tiempo de los patriarcas; sin embargo, leemos acerca de un sorprendente encuentro entre Abraham y Melquisedec, un misterioso "sacerdote del Dios altísimo". Algunos eruditos especulan que Melquisedec era algún rey cananeo de Salem. Abraham se encontró con él después de rescatar a algunos de sus parientes cautivos (Génesis 14:17-20). Por el hecho de que Dios había capacitado a Abraham para lograr el rescate, este respondió con adoración como señal de gratitud. En vez de hacer un altar o de ofrecer un sacrificio animal, Abraham ofreció "los diezmos de todo" como sacrificio y recibió la bendición de Dios por medio de Melquisedec. Este personaje misterioso es el primer sacerdote que se menciona en la Biblia.

¿Hubo otros sacerdotes en aquel tiempo? Si los hubo, ¿por qué no se mencionan? Tal vez los patriarcas por lo general actuaban como sus propios sacerdotes. Ellos fueron los únicos de los que se nos informa que ofrecían sacrificios a Dios. Pero no se nos dice en forma clara si ellos actuaban como clérigos en favor de otros.

Había espontaneidad en la adoración de los patriarcas. Al principio, ellos dejaban sus altares descubiertos y expuestos a la inclemencia del tiempo; esto ciertamente afectaba el tiempo de las ceremonias, ya que el hecho de quemar la ofrenda era parte fundamental de ellas. Además, Dios actuaba y hablaba cuando Él quería, y los patriarcas no podían saber con anticipación cuándo los llamaría Dios a la adoración. Puesto que sólo un puñado de personas adoraban al mismo tiempo, no había necesidad de tener un programa de adoración.

En el tiempo de Moisés

Moisés inauguró un período nuevo en la práctica de adoración de Israel, período que se extendió mucho más allá del tiempo de su vida. Comenzó cuando Moisés sacó al pueblo de Israel de Egipto (1446 a.C.); pero la influencia directa de Moisés sobre la práctica de la adoración se extendió a través de la historia judía. Por razones prácticas, enfoquemos en esta sección la influencia de Moisés hasta el tiempo de los jueces (que terminó en 1043 a.C. con el nombramiento de Saúl como primer rey de Israel). Durante el tiempo de los jueces, el pueblo de Dios aún adoraba en una tienda o tabernáculo. Pero cuando David llegó a ser rey, se hicieron planes para la construcción de un templo. En la sección que viene después de esta trataremos de eso.

A. El sitio de la adoración. Ya dijimos que Dios aprobó el uso de altares de tierra y piedras (Exodo 20:24-26). En los días de Moisés, Dios aprobó también una nueva clase de lugar de adoración. Cuando el gran legislador subió a la cima del monte Sinaí, recibió mucho más que los Diez Mandamientos. Entre otras cosas, recibió un plano para un sitio cerrado de adoración, en el que un altar estaría albergado dentro de una tienda de tela. Es difícil hacer un cuadro de este nuevo sitio. Muchos artistas, basados en la descripción de la Biblia, han dibujado siguiendo las impresiones que esta les ha brindado; pero no hay acuerdo completo en cuanto al plano del tabernáculo.

Sin embargo sabemos que este sitio de adoración era claramente diferente de los altares que se erigían al aire libre. En primer lugar, era mucho más complejo. Una descripción del propio altar se halla en Exodo 27:1-3: "Harás también un altar de madera de acacia de cinco codos de longitud, y de cinco codos de anchura; será cuadrado el altar, y su altura de tres codos. Y le harás cuernos en sus cuatro esquinas; los cuernos serán parte del mismo; y lo cubrirás de bronce. Harás también sus calderos para recoger la ceñiza, y sus paletas, sus tazones, sus garfios y sus braseros; harás todos sus utensilios de bronce."

Modelo del tabernáculo. Este modelo construido por el doctor Conrad Schick, presenta el tabernáculo, un santuario constituido por una tienda portátil, y hecho en conformidad con las instrucciones que Dios diera a Moisés en el monte Sinaí. Un compartimiento especial del tabernáculo, que se llamaba "el Lugar Santísimo", era reverenciado como el lugar en que moraba Dios. Sólo el sumo sacerdote podía entrar en este lugar, y sólo un día del año: el día de la expiación.

No sólo eran diferentes los materiales de los que había en los primeros altares, sino que las herramientas que se necesitaron para hacerlo y para hacer los utensilios que lo acompañaban eran diferentes (véase Exodo 20:25). Hay buenas evidencias que indican que Israel usó durante este tiempo ambas clases de altares: los que tenía al aire libre y el que estaba en el tabernáculo. Con el correr del tiempo se erigió en el tabernáculo un altar central más permanente.

La Escritura también describe la tienda que en este tiempo cubrió el altar. "Y Moisés tomó el tabernáculo, y lo levantó lejos, fuera del campamento, y lo llamó el Tabernáculo de Reunión. Y cualquiera que buscaba a Jehová, salía al tabernáculo de reunión que estaba fuera del campamento. Y sucedía que cuando salía Moisés al tabernáculo, todo el pueblo se levantaba, y cada cual estaba en pie a la puerta de su tienda, y miraban en pos de Moisés, hasta que él entraba en el tabernáculo. Cuando Moisés entraba en el tabernáculo, la columna de nube descendía y se ponía a la puerta del tabernáculo, y Jehová hablaba con Moisés. Y viendo todo el pueblo la columna de nube que estaba a la puerta del tabernáculo, se levantaba cada uno a la puerta de su tienda y adoraba" (Exodo 33:7-10). La tienda se vuelve a describir en Exodo 26. Con tan detallada descripción puede parecer fácil decir cómo era la apariencia del tabernáculo. Pero no lo es. Hacer un dibujo del tabernáculo sería como si se nos desafiara a pintar el motor de un automóvil, del que sólo recibimos una explicación verbal y al que jamás hemos visto.

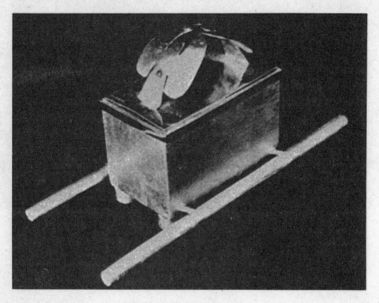

Modelo del arca del pacto. El arca era una caja rectangular de madera de acacia que contenía las tablas de los Diez Mandamientos, una vasija con maná y la vara de Aarón. La tapa, o "propiciatorio", era una plancha dorada rodeada por querubines de oro que tenían sus alas extendidas. El arca era el símbolo de la presencia de Dios entre su pueblo.

En esta tienda, Moisés hablaba con Dios. Aunque la Escritura no dice que Moisés ofrecía sacrificios en el tabernáculo (véase Exodo 33:7-10), podemos suponer que sí lo hiciera, puesto que el altar se hallaba allí. Moisés estaba allí buscando al Señor. El pueblo sabía que Dios estaba reunido con Moisés porque la "columna de nube" estaba delante del tabernáculo. Esta era una señal familiar de la presencia del Señor.

Moisés y su siervo Josué entraban solos en el tabernáculo, mientras que el pueblo se quedaba de pie cerca y esperaba. Moisés primero adoró en el tabernáculo y después regresó al monte para recibir las tablas de la ley. Luego descendió para transmitir el mensaje de Dios a su pueblo.

En cierto sentido, Moisés fue un intermediario entre Dios y los israelitas. El no fue un sacerdote formal, sino que Dios lo escogió como su mensajero-líder. Aquí podemos ver los comienzos del sacerdocio; aun cuando el propio Moisés no fue realmente llamado sacerdote hasta siglos más tarde (véase Salmo 99:6).

B. El sacerdocio. En este punto de la historia de Israel, surgió el orden sacerdotal. Según el mandamiento de Dios (Exodo 28:1), Moisés consagró a su hermano Aarón y a los hijos de este como sacerdotes. Estos hombres procedían de la tribu de Leví. Desde este momento hasta el tiempo transcurrido entre los dos Testamentos bíblicos, les perteneció a los levitas el sacerdocio oficial.

Moisés estableció una distinción entre Aarón y sus hijos, pues ungió a Aarón como "sumo sacerdote entre su hermanos" (Levítico 21:10). El distinguió el oficio de Aarón al darle vestiduras especiales (Exodo 28:4, 6-39; Levítico 8:7-9). Al morir Aarón, sus vestiduras y su oficio le fueron transferidos a Eleazar, su hijo mayor (Números 20:25-28).

Gradas que conducen hacia las puertas de Hulda. Los eruditos creen que los peregrinos pudieron haber entonado los cánticos graduales (Salmos 120-134) mientras viajaban hacia los sitios santificados por la tradición israelita. Esta amplia escalinata, descubierta al sur del monte del templo, y que conduce hacia las puertas de Hulda en Jerusalén, probablemente era la escalinata por la que ascendían los peregrinos cuando iban a los atrios internos del templo.

La función más importante del sumo sacerdote era la de presidir el día anual de la Expiación. Ese día el sumo sacerdote podía entrar en el

Lugar Santísimo del tabernáculo y rociar el propiciatorio con la sangre de las ofrendas ofrecidas por el pecado. Al hacer esto, él expiaba sus propias maldades, las de su familia, y las del pueblo de Israel (Levítico 16:1-25). El sumo sacerdote también tenía que rociar la sangre de las ofrendas ofrecidas por el pecado delante del velo del santuario y sobre los cuernos del altar (Levítico 4:3-21).

Como cabeza espiritual de Israel, el sumo sacerdote tenía que lograr un mayor grado de pureza ceremonial que el resto de los sacerdotes. En Levítico 21:10-15 se nos esbozan los requerimientos de pureza para el sumo sacerdote. Cualquier pecado que cometiera era una desgracia para todo el pueblo de Israel. El tenía que hacer expiación por tal pecado con una ofrenda especialmente prescrita (Levítico 4:3-12).

El sumo sacerdote también ofrecía la ofrenda diaria de flor de harina (Levítico 6:19-22), y participaba en los deberes generales del sacerdocio (Exodo 27:21). Estos deberes eran muchos. Los sacerdotes presidían todos los sacrificios y las fiestas. Servían como consejeros médicos para la comunidad (Levítico 13:15), y eran administradores de justicia (Deuteronomio 17:8, 9; 21:5; Números 5:11-13). Sólo ellos podían dar la bendición en nombre de Dios (Números 6:22-27) y tocar las trompetas que convocaban al pueblo a la guerra o a la fiesta (Números 10:1-10).

Los levitas servían como sacerdotes, bien de la edad de treinta a cincuenta años (Números 4:39), o de la edad de veinticinco a cincuenta años (Números 3:23-26). Después de los cincuenta años sólo se les permitía ayudar a sus colegas sacerdotes.

El diezmo del pueblo proveía de alimento y de ropa a los sacerdotes (Levítico 32:33); a ellos se entregaba una décima parte del diezmo (Números 18:21, 24-32). Puesto que la tribu de Leví no poseía territorio, les fueron asignadas a los sacerdotes 48 ciudades con sus ejidos (Números 35:1-8).

C. El sistema de sacrificios. La Biblia contiene muchos de los reglamentos establecidos por Moisés para el sacrificio; pero Levítico 1–7 se dedica exclusivamente a los ritos. Muchos eruditos consideran que esta sección es cierta clase de manual para el sacrificio. Describe cinco tipos de sacrificios: holocaustos, ofrendas de cereales, ofrendas de paz, ofrendas por el pecado y ofrendas de expiación por la culpa.

1. Holocaustos. Este tipo de sacrificio se quemaba por completo. Nadie podía comer nada de él; el fuego lo consumía todo. De hecho, el fuego nunca se extinguía: "El fuego arderá continuamente en el altar; no se apagará" (Levítico 6:13).

El adorador presentaba un animal macho — buey, cordero, cabrito, paloma, o tórtola; lo cual dependía mucho de la condición económica del adorador — en la puerta del tabernáculo o del templo. Este animal tenía que ser sin mancha. Luego, el que ofrecía la ofrenda ponía sus manos sobre la cabeza del animal y este era "aceptado para expiación suya" (Levítico 1:4). El hecho de poner las manos sobre la cabeza del animal era un acto ceremonial por el cual el adorador bendecía o preparaba el animal para el sacrificio. Luego se mataba el animal en la puerta. Inmediatamente, el sacerdote recogía la sangre de este y la regaba alrededor del altar. (Los sacerdotes nunca bebían la sangre.) Luego, el sacerdote descuartizaba el animal, ofrecía su cabeza y su gordura en el altar; luego lavaba las piernas y los intestinos con agua y los ofrecía. Cualesquiera restos podían ser echados a un lado en la ceniza. (Por ejemplo, esto se hacía con las plumas de las aves.)

Además de colocar al animal sobre el altar, los sacerdotes tenían la responsabilidad de mantener el fuego. No podían permitir que las cenizas se amontonaran en el fondo del altar, sino que en determinados momentos, tenían que colocarlas a un lado del altar. Posteriormente, ellos llevaban la ceniza fuera del campamento o de la ciudad "a un lugar limpio". Para hacer esto, tenían que cambiarse de ropa.

Más adelante en la historia de Israel, los holocaustos se convirtieron en un sacrificio continuo: "Esta es la ofrenda encendida que ofreceréis a Jehová: dos corderos sin tacha de un año, cada día, será el holocausto continuo" (Números 28:3). Tal como lo indica este pasaje, se sacrificaban dos animales cada día, uno por la mañana y uno al atardecer. Esto se hacía para expiar los pecados del pueblo contra el Señor (Levítico 6:2). El hecho de que se quemaban simbolizaba el deseo de la nación de librarse de los actos pecaminosos contra Dios.

2. Ofrendas de cereales. Además de animales, los israelitas sacrificaban cereales o legumbres. Estos productos podían ofrecerse independientemente de los holocaustos, o junto con ellos. La palabra hebrea que se tradujo "oblación" *(minha)* se refiere algunas veces a estas ofrendas de cereales; otras veces se refiere a otros tipos de sacrificios.

En Levítico 2 se mencionan cuatro clases de ofrendas de cereales, y se dan las recetas de cocina para cada una de ellas. El adorador podía ofrecer masa de harina de trigo horneada, o cocida en una cazuela, o frita en una sartén, o tostada para hacer pan. (Este último método se usaba para las ofrendas de las primicias.) Todas las ofrendas de cereales se hacían con aceite y sal; no se podía usar miel ni levadura. Además de estos ingredientes cocidos, el adorador debía llevar una porción de incienso. También podía llevar porciones de alimentos no cocidos (granos en general, sal y aceite) junto con la ofrenda.

Los adoradores presentaban las ofrendas de cereales a uno de los sacerdotes, quien las tomaba y las llevaba al altar, y lanzaba sobre él "una parte para memorial" (bien fuera de pan, de torta, de hojaldres o de ingredientes no cocidos). Esta parte la lanzaba sobre el fuego. Y hacía lo mismo con todo el incienso. El sacerdote se comía lo demás; pero si el sacerdote mismo era el que ofrecía la ofrenda de cereales, quemaba todo el sacrificio.

Cuándo cesaron los sacrificios

Judea Capta, es decir, "Judea Capturada". Esta inscripción la colocaron los romanos en las monedas que acuñaron para conmemorar su victoria en el año 70 d.C. Millares de judíos murieron en el combate; otros millares fueron llevados en cautiverio; muchos otros decidieron abandonar el país. Su centro de adoración, el templo, había sido quemado hasta el polvo, y la capital del judíasmo había caído.

Los emperadores romanos desviaron el impuesto del templo, que antes se les cobraba a todos los judíos, y lo destinaron al templo de Júpiter Capitolino en Roma. Los adoloridos judíos se abstenían de comer carne y de beber vino, que habían sido elementos principales en el templo. A ellos no les parecía bien disfrutar de aquello que ya no se le podía ofrecer a Dios.

Al llegar a su fin la adoración en el templo, el sacerdocio comenzó a declinar. Aunque los sacerdotes aún podían recibir grandes ofrendas y diezmos, sus ingresos se redujeron grandemente. El hecho de perder el ingreso, además de perder la función de su templo, dio como resultado la pérdida de la influencia y de la autoridad de ellos.

En Deuteronomio se prohibieron los altares y sacrificios fuera del lugar escogido: Jerusalén. Pero esta no era la primera vez que los judíos habían sido despojados de su templo y de su adoración con sacrificios. Durante el tiempo del exilio babilónico, el pueblo se había reunido con regularidad para leer las Escrituras y discutir su significado. Estas *sinagogas*, es decir, asambleas, llegaron a ser vitales para el judaísmo después que fuera destruido el templo.

El pueblo judío se reunía en la sinagoga para orar, cantar, y estudiar la Tora. La función principal de la sinagoga era la de fomentar la comprensión y la observancia adecuada de la ley judía. En efecto, llegó a ser el asiento del gobierno espiritual que ordenaba y disciplinaba la vida del pueblo.

Después de la destrucción del templo, a los sabios que interpretaban la ley se los llamó *tannaim*, y a los que estaban autorizados como líderes se les dio el título de rabinos, o doctores de la ley. Los sabios interpretaban las leyes que se hallan en el Pentateuco y también las leyes de la tradición oral, llamadas el *halakoth*. Se preocupaban principalmente por la manera en que estas leyes debían afectar la vida del pueblo. Los seguidores del gran sabio Shammai se distinguieron por sus interpretaciones conservadoras, mientras los seguidores del sabio Hillel se ceñían a interpretaciones más liberales.

Jabneh (la moderna Jamnia), situada en los llanos occidentales de Judea, pronto se convirtió en el centro de la cultura judía. Durante la guerra con Roma, fue sacado de Jerusalén, escondido en un ataúd, el sabio Johanán ben Zakkai. Este se abrió paso hasta el campamento romano, y allí solicitó de las autoridades romanas que le permitieran a él y a sus discípulos establecerse en la ciudad costera de Jamnia, y establecer allí una academia. Johanán tenía razón al percatarse de que la única victoria importante que se podía lograr de la guerra contra Roma era la supervivencia del judaísmo. Si era necesario, una tradición vital podría convertirse en una "patria portátil" para los judíos. Jamnia llegó a ser el nuevo centro de esa tradición.

Después de la revuelta de Barcoquebas en 135 d.C., el centro de estudios judíos se mudó a Usha en Galilea, cerca de la moderna Haifa. En este lugar comenzaron los sabios a reunir y codificar el *halakoth* en un documento que llegó a llamarse la *Mishna*.

Los sabios no estuvieron de acuerdo en cuanto a la manera como debía organizarse el *halakoth*. Un grupo pensaba que debía seguirse el orden de los versículos bíblicos a los que se refería. El otro grupo, encabezado por el rabino Akiba ben José, sostenía que debía arreglarse por temas. Al fin se siguió este último método. La tarea de compilar la Mishna no se completó hasta la primera parte del siglo tercero. La *Mishna* y el *Gemara* (o comentario de la *Mishna*), constituyen las partes principales del libro sagrado judío llamado el *Talmud*. Esta amplia compilación de maneras, costumbres, credos y enseñanzas de los judíos es reverenciada y estudiada por los eruditos judíos.

El propósito de la ofrenda de cereales parece haber sido similar al del holocausto, excepto en el caso de las ofrendas del "grano", las cuales se vincularon con las ofrendas de las primicias (Levítico 2:14). La ofrenda de las primicias parece haber tenido el propósito de santificar toda la cosecha. La ofrenda del "grano" sustituía a toda la cosecha: hacía hincapié en que toda ella estaba santificada para el Señor.

3. Ofrendas de paz. Una comida ritual, llamada "ofrenda de paz", era compartida entre Dios, los sacerdotes, y algunas veces otros adoradores. Podía ser de ganado vacuno, macho o hembra, ovejas o cabras. Hasta el momento preciso de quemar la ofrenda, el procedimiento era casi idéntico al del holocausto. En el caso de la ofrenda de paz, la sangre del animal era rociada alrededor del altar. La grosura y los intestinos se quemaban. Lo demás lo comían los sacerdotes y (si la ofrenda era voluntaria) los mismos adoradores. Este sacrificio expresaba el deseo que tenía el adorador de dar las gracias a Dios o de alabarlo. Algunas veces se le exigía que hiciera esto; otras veces lo podía hacer voluntariamente.

En las ofrendas obligatorias estaban incluidas las tortas sin levadura. Los sacerdotes tenían que comer todas las tortas (con excepción de la porción que se dedicaba al memorial), así como el resto del animal, el mismo día en que se ofrecía el sacrificio.

Cuando la ofrenda era voluntaria, los reglamentos no eran tan estrictos. El que la presentaba no necesitaba llevar tortas, y se podía comer durante dos días. La porción del sacerdote se limitaba al pecho y el muslo derecho del animal, mientras que cualquiera que estuviera ceremonialmente puro podía comer de lo demás.

Jacob y Labán ofrecieron este tipo de sacrificio cuando realizaron un convenio (Génesis 31:43 y siguientes). Algunos eruditos llaman a este sacrificio "ofrenda votiva". Las "ofrendas de acción de gracias" y las "ofrendas voluntarias" seguían el mismo modelo general. El sacrificio de Saúl (1 Samuel 13:8 y siguientes), fue de esta última categoría. Aunque él se esforzó en hacerlo, ciertamente no se le había exigido. (De hecho, Samuel le censuró la idea, al decirle que eso era ilegal.) Se exigían la ofrenda votiva y la de acción de gracias, pero claro que no se exigía la ofrenda voluntaria.

4. Ofrendas por el pecado. Los sacrificios por el pecado pagaban o expiaban las faltas rituales del adorador contra el Señor. Estas eran faltas no intencionales. "Habló Jehová a Moisés, diciendo: Habla a los hijos de Israel y diles: Cuando alguna persona pecare *por yerro* en alguno de los mandamientos de Jehová sobre cosas que no se han de hacer, e hiciere alguna de ellas" (Levítico 4:1, 2; cursivas del autor). Moisés dio instrucciones para que diversas personas ofrecieran diferentes sacrificios en estos casos.

Los pecados del sumo sacerdote eran expiados por medio de la ofrenda de un becerro. La sangre no se derramaba sobre el altar, sino que el mismo sumo sacerdote la rociaba con su dedo siete veces hacia el santuario. Luego se quemaba la gordura de los intestinos. El resto del animal se quemaba (no se comía), fuera del campamento o de la ciudad, en "un lugar limpio, donde se echan las cenizas".

Los pecados de los líderes de la comunidad eran expiados por medio de la ofrenda de un macho cabrío. La sangre de este animal se rociaba sólo una vez; lo que sobraba se derramaba alrededor del altar al igual que en el holocausto.

La idolatría de Jezabel

Jezabel, hija del rey Et-baal de Sidón, se había criado en Sidón, ciudad comercial de la costa del Mediterráneo. A Sidón se lo consideraba como el centro del vicio y de la impiedad. Cuando Jezabel se casó con el rey Acab de Israel, ella se mudó a Jezreel, ciudad que servía a Jehová. Pronto decidió Jezabel convertir a Jezreel en una ciudad similar a su ciudad nativa.

Ella trató de convencer a su marido para que comenzara a servir al becerro de oro, con la presunción de que tal adoración sería realmente un servicio a Jehová. El becerro era realmente un ídolo central en la adoración de Baal, un dios del sol que fue importante para los antiguos fenicios. Por el hecho de que se creía que Baal tenía poder sobre las cosechas, los rebaños, y sobre la fertilidad de las familias labradoras, con frecuencia se vinculaba el becerro de oro con él. En la medida en que la adoración a Baal se extendió a los países que tenían fronteras con Fenicia, más personas adoptaron los ritos lascivos de la religión, entre los cuales se incluían los sacrificios humanos, el hecho de torturarse el mismo individuo, y el beso a la imagen. Las prácticas del culto de Baal ofendían a los judíos

piadosos, pero como el rey Acab se dejaba manipular fácilmente por Jezabel, pronto se levantaron bellos templos en honor a Baal en todo Israel.

Los sacerdotes de Jehová se opusieron a Jezabel. Muchos de ellos fueron asesinados. Aun el gran profeta Elías huyó de la ira de ella (1 Reyes 18:4-19).

En su esfuerzo por borrar toda indicación de Jehová a través de Israel, Jezabel se convirtió en la primera mujer religiosa perseguidora de la historia bíblica. De manera tan efectiva, inyectó ella el veneno de la idolatría en las venas de Israel que hizo que la nación sufriera.

Elías dijo: "Los perros comerán a Jezabel en el muro de Jezreel" (1 Reyes 21:23). Esta profecía se cumplió; sólo quedaron para enterrar: el cráneo de ella, sus pies, y las palmas de sus manos (2 Reyes 9:36, 37).

Los corazones de los israelitas tuvieron que haber estado preparados para la idolatría, pues de lo contrario, Jezabel no hubiera podido pervertir de tal manera la religión de ellos. El rey Acab cometió contra Dios un grave pecado al casarse con ella, pues Jezabel adoraba a Baal (1 Reyes 21:25, 26).

Los pecados de los individuos particulares se expiaban con las hembras de los animales: cabras, corderas, tórtolas o palomas. Si la persona no podía ofrecer ninguno de estos animales, se aceptaba una ofrenda de granos. El procedimiento para la ofrenda de granos era el mismo de la ofrenda de cereales.

Sería imposible nombrar todas las maneras en que una persona podía cometer un pecado no intencional contra Dios. Algunas tenían implicaciones morales. Otras, como el caso de los leprosos (ver Lucas 5:22 y siguientes), eran puramente ceremoniales. Otro ejemplo de un sacrificio que se hacía por una falta ceremonial sería la ofrenda de una mujer después de dar a luz, a fin de recuperar su limpieza ceremonial

(Levítico 12). Las ofrendas que se hacían por la nación y por el sumo sacerdote cubrían todas estas faltas en forma colectiva. El día de la Expiación *(Yom kippur)*, el sumo sacerdote rociaba la sangre sobre el propio arca del pacto. Este era el rito final de la expiación.

5. Ofrendas de expiación por la culpa. Esta ofrenda era similar a la ofrenda por el pecado, y muchos eruditos la incluyen en la categoría anterior. Sólo se diferenciaba en que la ofrenda de expiación por la culpa era una ofrenda en dinero. Este sacrificio se hacía por pecados de ignorancia relacionados con fraudes. Por ejemplo, si el adorador había engañado inconscientemente a otro en cuanto a dinero o propiedades, su sacrificio tenía que ser igual al valor de la cantidad que se había tomado, más la quinta parte. El entregaba esta cantidad al sacerdote; luego entregaba una restitución similar al dueño anterior de la propiedad. Por tanto, él pagaba dos veces la cantidad que había tomado, más el 40 por ciento (Levítico 6:5, 6).

Todos estos sacrificios estaban relacionados directamente con la expiación (remoción de la culpa) o con la propiciación (conservar el favor de Dios). Nos vuelven a recordar las dos fuertes emociones que hay en toda nuestra adoración: la reverencia y la acción de gracias.

D. El año ritual. El pueblo de Israel adoraba a Dios en las ocasiones por El señaladas, o cuando ellos "buscaban al Señor". Pero bajo el liderazgo de Moisés, la adoración se hizo obligatoria en determinados días del año. Fue entonces cuando el pueblo comenzó a observar el día de reposo y otros días de fiesta señalados.

Los eventos más importantes del calendario ritual eran las tres grandes fiestas de los peregrinos: la Pascua, la fiesta de las Semanas (Pentecostés) y la fiesta de los Tabernáculos (o Cabañas). En cada una de estas ocasiones, los varones israelitas viajaban al lugar central de adoración para ofrecer sacrificios a Dios.

1. El día de reposo. No parece que se observara ningún día especial de descanso entre los hebreos antes del tiempo de Moisés. El día de reposo se menciona por primera vez en Exodo 16:23, cuando los hebreos acamparon en el desierto de Sin, antes de recibir los Diez Mandamientos. Allí Dios les dio instrucciones para que observaran el día de reposo cada siete días, en honor a su obra de creación (Exodo 20:8-11; compárarese con Génesis 2:1-3) y para conmemorar el día en que Israel fue librado de la esclavitud (Deuteronomio 5:12-15; compárarese con Exodo 32:12). El día de reposo apartaba a los israelitas del trabajo y de toda otra actividad ordinaria (Exodo 35:2, 3). De esa forma les recordaba que Israel estaba separado de las naciones que lo rodeaban, y que tenían una relación especial con Dios como pueblo del pacto.

La Roca Sagrada. Esta roca, que ahora es el centro de la mezquita de Omar (cuya construcción se terminó en 691 d.C.) se halla en el sitio en que se construyeron los templos de Salomón y de Herodes. Muchos creen que esta roca en un tiempo formó la base del altar judío. El sitio es también sagrado para los musulmanes, quienes creen que Mahoma ascendió al cielo desde este punto.

Una gran parte del material legal de los primeros cinco libros de la Biblia se relaciona con la observancia del día de reposo. Quebrantar el día de reposo era como quebrantar el pacto de Israel con Dios. Así que para este delito había la pena de muerte (Números 15:32-36). El día de reposo se sacrificaban dos corderos, a diferencia de los demás días en que sólo se sacrificaba uno (Números 28:9, 19). Ese día se colocaban doce tortas o panes de la proposición (en representación de las doce tribus de Israel) en el tabernáculo (Levítico 24:5-8).

2. *La Pascua y la fiesta de los Panes sin Levadura.* Durante las grandes fiestas para los peregrinos de Israel, se exigía que todos los varones se presentaran ante el santuario del Señor (Deuteronomio 16:16). La primera y más importante de estas fiestas era la Pascua. En esta fiesta se combinaban dos observancias que originalmente estaban separadas: la *Pascua*, que era la noche que se celebraba en memoria de aquella en que el ángel de la muerte *pasó por alto* a las familias hebreas en Egipto; y la *fiesta de los Panes sin Levadura*, con la que se conmemoraban los siete primeros días del propio éxodo. Las dos

celebraciones estaban estrechamente entrelazadas. Por ejemplo, la levadura tenía que ser quitada de la casa antes de matar el cordero pascual (Deuteronomio 16:4). Por tanto, la misma comida de la pascua incluía panes sin levadura (Exodo 12:8). Con el tiempo, el pueblo de Israel fundió las dos celebraciones en una. Esta gran fiesta comenzaba al anochecer del día 14 de Abib (tiempo que sería considerado como el comienzo del día 15). El cordero, o el cabrito, se mataba precisamente antes de la puesta del sol (Exodo 12:6; Deuteronomio 16:6), y se asaba por completo y se comía con panes sin levadura y hierbas amargas. La ceremonia estaba llena de simbolismos: la sangre del animal simbolizaba la purificación de los pecados; las hierbas amargas representaban la amargura de la esclavitud en Egipto; y los panes sin levadura simbolizaban la pureza.

Familias enteras participaban en la cena de la pascua. Si la familia era pequeña, los vecinos se le unían hasta que hubiera un número suficiente para comerse todo el cordero (Exodo 12:4). Durante la comida, el jefe de la familia narraba la historia de Israel.

El día primero y el séptimo de esta celebración se observaban como días de reposo. En esos días no había trabajo, y todo el pueblo se reunía en santa convocación (Exodo 12:16; Levítico 23:7); Números 28:18, 25). El segundo día de la fiesta, un sacerdote mecía una gavilla (de la primera cebada que hubiera madurado) delante del Señor, para consagrar el comienzo de la cosecha. Además de los sacrificios regulares que se ofrecían en el santuario, los sacerdotes sacrificaban diariamente dos bueyes, un carnero, y siete corderos en holocausto, y un macho cabrío como ofrenda por el pecado (Levítico 23:8; Números 28:19-23).

3. La fiesta de las Semanas (Pentecostés). Esta fiesta se observaba cincuenta días después de haber ofrecido la gavilla de cebada en la fiesta de los Panes sin Levadura. Indicaba el fin de la cosecha y el comienzo de la época de las ofrendas de las primicias (Exodo 23:16; Levítico 23:15-21; Números 28:26-31; Deuteronomio 16:9-12). Esta fiesta de un solo día se observaba al igual que un día de reposo con una santa convocación en el tabernáculo. Ese día se ofrecían los panes sin levadura, junto con diez animales apropiados para el holocausto, un macho cabrío como ofrenda por el pecado y dos corderos de un año como ofrenda de paz. En este festival, los sacerdotes instaban al pueblo a acordarse de los necesitados (Deuteronomio 16:11, 12), como también debían hacerlo en los festivales de peregrinaje.

4. La fiesta de los Tabernáculos (Cabañas). Esta fiesta era para conmemorar la vida errante de Israel en el desierto. Tomaba su nombre del hecho de que los israelitas durante esta celebración vivían en tiendas o enramadas (Levítico 23:40-42). Esta fiesta comenzaba el

día 15 del noveno mes (Tishri), y duraba siete días. Caía al final de la época de la cosecha, por lo que tenía un tercer nombre: "la fiesta de la Siega" (Exodo 23:16; 34:22; Levítico 23:39; Deuteronomio 16:13-15). Durante esta semana, el sacerdote ofrecía un holocausto especial de setenta becerros. El holocausto diario en esos días era: dos carneros y catorce corderos, y se ofrecía un macho cabrío diariamente como ofrenda por el pecado (Números 29:12-34).

Cada siete años, cuando no había cosecha a causa del año sabático, se leía en público la ley de Moisés durante la fiesta. Con este propósito, en un tiempo posterior, se agregó un día más a la fiesta de las Cabañas. Tal día se conocía como el *Simhath Torah* ("Gozo de la Ley"), en honor de la ley.

Baño ritual. Los sacerdotes lavaban varios objetos de culto en esta vasija con el objeto de lograr la pureza ceremonial. Los hebreos primitivos consideraban que la limpieza era un atributo tanto físico como moral. Se consideraban inmundos los individuos enfermos y los objetos que ellos tocaran (Levítico 15:22).

5. El día de la Expiación. La ley de Moisés sólo exigía una fiesta: el día de la Expiación (Exodo 30:10; Levítico 16; 23:31, 32; 25:9; Números 29:7-11). Este día era el 10 de Tishri, que precisamente antecedía a la fiesta de las Cabañas.

Este día se separó para la purificación de los pecados. La observancia consistía en abstenerse del trabajo, ayunar, y asistir a la santa convocación. El sumo sacerdote se cambiaba sus complicadas vestiduras por un sencillo manto de lino, y ofrecía una ofrenda por el pecado de sí mismo, de su casa, y de toda la nación de Israel.

Un rasgo interesante de la observancia de este día era que el sumo sacerdote transfería simbólicamente los pecados del pueblo a un macho cabrío: el macho cabrío de *Azazel*. El sumo sacerdote ponía sus manos sobre la cabeza del macho cabrío y confesaba los pecados del pueblo. Luego, este animal era enviado al desierto donde se abandonaba hasta que muriera. (En años posteriores, un ayudante llevaba este macho cabrío fuera de Jerusalén y lo empujaba por uno de los barrancos que rodeaban la ciudad.) Con este acto terminaban los ritos del día de la Expiación. El pueblo, libre de pecado, danzaba y se regocijaba (ver Salmo 103:12).

De la monarquía al exilio

Los patrones de adoración de Israel cambiaron notablemente del tiempo de la monarquía (que comenzó cuando Saúl llegó a ser rey en 1.043 a.C.) al tiempo del exilio (que comenzó cuando los babilonios se apoderaron de Judá en 586 a.C.).

Antes de esta época, el pueblo de Israel adoraba a Dios en muchos lugares diferentes. Durante el tiempo de los reyes, la adoración de ellos se enfocaría en un lugar central para el sacrificio. Antes la persona podía hacer una ofrenda en el momento que deseara hacerlo; posteriormente, tenía que seguir los procedimientos establecidos por la ley de Moisés.

A. El templo. Parece que Saúl, el primer rey de Israel, estuvo confundido con respecto a la manera adecuada de rendir adoración. Enfrentado como estaba a una segura derrota en manos de los filisteos, volvió a las prácticas antiguas. Hizo un altar en el lugar de su campamento y le pidió a Dios la ayuda. Poco después llegó Samuel para recordarle el mandamiento del Señor en el sentido de no adorar "en cualquier lugar" (1 Samuel 13:8-14; compárese con Deuteronomio 12:13).

Bajo el liderazgo de David, Israel llegó a ser una nación más fuerte y más próspera. Después de construir un gran palacio de cedro, no le pareció bien que él viviera "en casa de cedro, y el arca de Dios estuviera entre cortinas" (2 Samuel 7:2). Por tanto, con la aprobación del profeta Natán, David reunió materiales y compró el sitio para el templo, es decir, una casa para Dios (2 Samuel 24:18-25; 1 Crónicas 22:3). Sin embargo, no le correspondió a él construir el templo (1 Crónicas 22:6-19), sino a su hijo Salomón.

En 1 Reyes 6, 7 y en 2 Crónicas 3, 4 se hallan descripciones del templo. Hay una notable similitud entre el templo de Salomón y los planos del tabernáculo (Exodo 25-28). Por ejemplo, cada uno tenía dos cámaras o atrios. Los altares del templo eran de bronce, con utensilios similares a los del tabernáculo. La mayoría de las descripciones del templo incluyen gradas que conducían a un pórtico que tenía dos columnas, una a cada lado de la entrada. Dentro de la pequeña cámara estaba el arca del pacto. Un vestíbulo para guardar el tesoro nacional rodeaba todo el edificio.

En días posteriores, el templo de Salomón fue profanado de diversas maneras por reyes judíos infieles (ver 1 Reyes 14:26; 2 Reyes 12:4-15; 16:8; 18:15, 16; 21:4; 23:1-12). Finalmente fue destruido por Nabucodonosor en 586 a.C.

B. Los sacerdotes, los profetas y los reyes. En el tiempo de Moisés se desarrolló un sacerdocio formal en la tribu de Leví. Sin embargo, en el tiempo de la monarquía hubo casos de sacerdotes que no eran levitas (2 Samuel 8:17; 20:26; 1 Reyes 4:5). En 1 Reyes 12:31 se nos dice que Jeroboam, el primer rey del reino del norte de Israel, estableció su propio sacerdocio: ". . . hizo sacerdotes . . . que no eran de los hijos de Leví."

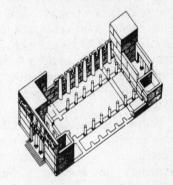

Diagrama del templo de Araq-el-Emir. Esta reconstrucción de un templo judío construido por los Macabeos en el tiempo de Juan Hircano, se basa en hallazgos de las excavaciones realizadas en el lugar. La fachada del edificio, erigida al comienzo del siglo segundo a.C., fue decorada con colosales figuras de leones en relieve. El interior rectangular incluía cuatro cuartos internos, uno de los cuales era una torre con escaleras.

Durante el tiempo de la monarquía, las tareas que se les asignaban a los sacerdotes eran muy especializadas. Por ejemplo, un grupo se encargaba del altar, y otro del aceite de la lámpara.

Pero el pueblo reconocía que Dios tenía voceros que no eran sacerdotes. Cuando el pueblo quiso un rey, acudieron a Samuel, *el profeta*. ¿Qué papel desempeñaron los profetas en la adoración de Israel?

Sabemos que los profetas aconsejaban a los reyes (1 Reyes 22), pero ellos también hablaron al pueblo en los santuarios. Por cierto que de la misma manera que existía un sacerdocio formal, existía un oficio formal de profetas. Amós nos dice esto al negar que pertenece al oficio de profeta (Amós 7:14). Los dos grupos — sacerdotes y profetas — tenían diferentes propósitos y funciones. Por ejemplo, la Biblia no habla con mucha frecuencia acerca de los profetas en la adoración; habla más a menudo acerca de las críticas de ellos a las prácticas de adoración.

El rey también jugaba un papel importante en la adoración de Israel; algunos dicen que él tenía la parte más importante de todas. Cuando sus relaciones con Dios eran buenas, todo el pueblo sentía el impacto (2 Samuel 21:1). El sumo sacerdote ungía al rey para significar que Dios lo había escogido para la tarea real (véase 1 Samuel 10:1). Como ungido y representante del pueblo, el rey tenía que ofrecer sacrificios (1 Reyes 8; 2 Samuel 24:25). Fue el rey quien reunió los materiales del templo y ordenó su construcción. Al fin y al cabo, él tenía el poder para influir en todo lo que hacía Israel con respecto a la adoración. Algunos de los últimos reyes contaminaron las actividades del templo con ritos extraños y con ídolos. Pero otros impusieron un regreso a los modos apropiados de adoración.

Durante este período fue desafiado el entendimiento que el pueblo tenía del sacrificio. Notemos las siguientes palabras del profeta Miqueas: "¿Con qué me presentaré ante Jehová, y adoraré al Dios Altísimo? ¿Me presentaré ante él con holocaustos, con becerros de un año? ¿Se agradará Jehová de millares de carneros, o de diez mil arroyos de aceite? ¿Daré mi primogénito por mi rebelión, el fruto de mis entrañas por el pecado de mi alma?" (Miqueas 6:6, 7). Los israelitas tenían que comprender que el motivo es más importante que el acto mismo del sacrifico. Necesitaban comprender que el Señor no exige grandes sacrificios, por el acto en sí, sino justicia, amor y bondad (Miqueas 6:8). Esta distinción tuvo profundos efectos.

No se consideraba como un sacrificio toda muerte de un animal. El pueblo podía matar y comer todo lo que deseara; pero no se podían comer el diezmo del grano, las primicias, o ningún otro sacrifico. Llegaron al punto de pensar que el hecho de matar un animal algunas veces era sagrado, y otras veces era secular.

C. Las fiestas. Las principales fiestas de este período seguían siendo: la fiesta de las Semanas, la de los Panes sin Levadura (Pascua), y la de las Cabañas. La asistencia era aún obligatoria, pero todas se llevaban a cabo en Jerusalén. (Anteriormente se realizaban en el lugar en que se hallara el arca del pacto.)

Durante la monarquía, por lo general, la adoración se llevaba a cabo en una atmósfera de regocijo. Había música, gritos y danza. Pero la adoración también se caracterizaba por las oraciones, los votos, las vigilias, las promesas, las comidas sagradas y los lavatorios rituales.

Influencias extrañas comenzaron a infiltrarse en la adoración de Israel, y los profetas las denunciaron a voz en cuello. Amós clamó contra el quebrantamiento de la ley ritual (Amós 2:8), contra la prostitución ritual (Amós 2:4) y contra la adoración que no estuviera acompañada de arrepentimiento (Amós 4:4-6). El dijo que Dios detestaba las fiestas de Israel (Amós 5:21-24). Los profetas también denunciaron la idolatría en el culto de Israel (2 Reyes 18:4; Isaías 2:8, 20; Oseas 8:4-6; 13:1, 2). Aun el mismo templo — sus muebles, sus simbolismos y sus modelos de adoración — demostraba influencias cananeas, fenicias y egipcias.

La reforma que hubo en el reinado del rey Josías (639-608 a.C.), abolió los altares locales y suprimió las familias sacerdotales locales. Todo sacrificio se volvió a hacer en Jerusalén. Josías suprimió los cultos locales y todos los ritos idolátricos (2 Reyes 23:4-25). Después de su muerte, sin embargo, Judá volvió a hacer "lo malo ante los ojos de Jehová" (2 Reyes 23:32, 37).

El exilio y el período transcurrido entre los dos Testamentos

En el año 586 a.C., Nabucodonosor saqueó a Jerusalén y destruyó el santo templo que Salomón había hecho. Ahora los israelitas no podían adorar como antes; se vieron obligados a cambiar. Con este período del exilio comenzó lo que pudiéramos llamar los últimos años de la adoración de Israel.

La Biblia dice poco acerca de lo que ocurrió en el sitio del templo mientras los judíos estaban exiliados. El "templo" de Ezequiel fue probablemente una visión. Pero Ciro el persa ordenó que los israelitas edificaran "casa [a Dios] en Jerusalén" (Esdras 1:2). Ciro también les devolvió todos los vasos de oro y plata que Nabucodonosor se había llevado como botín (Esdras 5:14).

De muchas maneras, entonces, el segundo templo se parecería al de Salomón. Pero el arca del pacto se perdió definitivamente durante la invasión de los babilonios. Sólo un pequeño grupo de israelitas participaron en la restauración del templo, por ello el capital y la mano de obra fueron mínimos. El nuevo edificio fue de menor tamaño y menos adornado que el de Salomón. Sin embargo, se hizo en conformidad con las descripciones que dio Moisés en Exodo 25—28.

Aparentemente toda la adoración judía se centralizó en el nuevo templo. La *Mishna* nos dice que en este tiempo se usaron mucho los salmos. Los salmos graduales (Salmos 120–134) se usaban en la fiesta de las Cabañas, y los salmos llamados *Hallel* (Salmos 113–118; 136) se usaban en todos los grandes festivales.

Los judíos pensaban que ellos se hallaban bajo el peso de la ira y el juicio de Dios. Para enmendarse, comenzaron a hacer ofrendas y sacrificios de nuevo.

Los levitas estuvieron entre los primeros que regresaron a Judá: "Entonces se levantaron los jefes de las casas paternas de Judá y de Benjamín, y los sacerdotes y levitas, todos aquellos cuyo espíritu despertó Dios para subir a edificar la casa de Jehová, la cual está en Jerusalén" (Esdras 1:5). Notemos que las Escrituras dicen "sacerdotes y levitas", como si las dos palabras ya no fueran sinónimas. Ahora ya no se consideraban sacerdotes todos los levitas, sino sólo los descendientes de Aarón. Durante los años de la monarquía se habían aceptado otras ramas de la tribu de Leví como sacerdotes. Pero después del exilio, todos los que afirmaban ser sacerdotes para ser admitidos tenían que probar que descendían de Aarón (Esdras 2:61-63; Nehemías 7:63-65).

También regresaron otros miembros del personal del templo: los cantores, los porteros, los sirvientes del templo *(nethinim)* Y los hijos de los siervos de Salomón (Esdras 2:41-58; compárese con 7:24; Nehemías 7:44-60). Las Crónicas aluden a los cantores y porteros como levitas, pero estos eran de origen foráneo. Eran descendientes de cautivos de guerra que habían sido ayudantes de los levitas en el templo de Salomón. En el tiempo de Nehemías, estos individuos juraron que "andarían en la ley de Dios", y que no se casarían con extranjeras (Nehemías 10:28-30).

Un cambio muy importante ocurrió en este período posterior al exilio. En Levítico 10:10, 11 se indicaba la responsabilidad de los sacerdotes en cuanto a la instrucción moral y a los asuntos ceremoniales; pero el papel docente de los sacerdotes parece que desapareció después del exilio. Sólo una vez se menciona una enseñanza sacerdotal después del exilio (Hageo 2:10-13). En realidad el profeta Malaquías se quejó de que los sacerdotes de su tiempo fallaban en este importante respecto (Malaquías 2:7, 8). Los levitas que no eran sacerdotes instruían al pueblo con respecto a la ley (Nehemías 8:7). El sumo sacerdote llegó a tener una representación semejante a la del rey, y en él se combinaron las funciones de religión y de estado.

Sacrificio samaritano. Los samaritanos aún hacen sacrificios en conformidad con la ley de Moisés, en forma muy similar a la de sus antepasados. Aquí se ofrecen corderos en el monte Gerizim, para celebrar la pascua.

184 *La vida diaria en los tiempos bíblicos*

La atmósfera de regocijo de los ritos primitivos dio lugar a una de gran seriedad y remordimiento. Las fiestas rituales habían sido esencialmente comidas; ahora se habían convertido en períodos de introspección que inspiraban temor. Después del exilio, los israelitas trataban de aprender cómo podían ser más obedientes al pacto de Dios.

Se agregó durante este período una fiesta nueva y más alegre — la fiesta de Purim — a las observancias ceremoniales. Esta fiesta se celebraba los días 14 y 15 de Adar, para conmemorar el hecho de que los judíos habían sido librados de Amán en el tiempo cuando vivieron bajo el dominio persa. Desde el tiempo del exilio, los judíos han observado esta fiesta en reconocimiento de que Dios ha librado continuamente a su pueblo.

La observancia de la fiesta de Purim seguía una forma fija. El 13 de Adar era un día de ayuno. Por la noche de ese día (que es el comienzo del día 14), los judíos se reunían para un servicio en sus sinagogas. Después del servicio se leía el libro de Ester.

Cuando se leía el nombre de Amán, el pueblo exclamaba: "Sea borrado su nombre"; o "Sea burlado el nombre del perverso." Los nombres de los hijos de Amán se leían todos en el lapso de una respiración para hacer hincapié en el hecho de que todos habían sido colgados al mismo tiempo.

En la mañana siguiente, el pueblo volvía a la sinagoga para terminar la observancia religiosa formal. El resto del día era tiempo de alborozo. Tal como ocurría en otras observancias festivas, se les pedía a los ricos que proveyeran para los pobres.

En el año 333 a.C., Alejandro Magno comenzó a conquistar Siria, el Medio Oriente y Egipto. Después de su muerte en 323 a.C., sus generales se dividieron las tierras entre sí. Después de muchos años de agitación política, una dinastía de reyes sirios conocida con el nombre de los seleúcidas, logró el dominio de Palestina. El gobernante seleúcida llamado Antíoco IV impuso su voluntad sobre los judíos al prohibirles realizar sacrificios, ritos, fiestas o culto de ninguna índole.

En 167 a.C., un funcionario sirio llevó a un judío anónimo al templo, y lo obligo a hacer un sacrificio a Zeus. Un sacerdote llamado Matatías fue testigo del evento. Este los mató a los dos, llamó a todos los judíos fieles para que lo siguieran y huyó a las montañas en las afueras de Jerusalén. Allí él y sus hijos se organizaron para la guerra contra los seleúcidas. Luego cayeron sobre Jerusalén, derrotaron al ejército sirio, y lograron el control de la ciudad. Obligaron a los líderes sirios a derogar sus ordenanzas contra el culto en Israel. Ahora el templo podía ser purificado y se podría reanudar la verdadera adoración. (El relato sobre este período de la historia de Israel se puede hallar en los libros deuterocanónicos de 1 y 2 Macabeos.) Los judíos modernos recuerdan este gran evento en la fiesta de la Dedicación o *Hanukkah*. El mismo Jesús estuvo en Jerusalén en el tiempo de la celebración de una *Hanukkah*, cuando estaba cerca del fin de su ministerio terrenal (Juan 10:22). Esta fiesta de ocho días se celebraba el 25 del mes de Quisleu, y también se conocía con el nombre de fiesta de los Candeleros, se caracterizaba por el hecho de que se encendían ocho lámparas: una en cada día de la fiesta. En esta celebración se destaca el hecho de que se cantan los salmos del *Hallel*, y es algo parecida a la fiesta de las Cabañas.

En el tiempo de los Macabeos, los judíos adoraban de una manera nacionalista. La esperanza que tenían de que la tierra fuera gobernada por Dios trajo un nuevo hincapié a su adoración; como por ejemplo, el uso de literatura apocalíptica. La profecía disminuyó gradualmente en la medida en que lo apocalíptico la desplazó. Un escritor apocalíptico expresó la esperanza que tenía de que Dios estableciera un reino terrenal, de la siguiente manera: "Y ahora, oh Señor, he aquí, estos paganos, que siempre han sido reputados como nada, han comenzado a ser señores sobre nosotros, y a devorarnos. Pero nosotros tu pueblo, al cual Tú has llamado tu primogénito, tu unigénito, y tu amadora ferviente, hemos sido entregados en sus manos. Si el mundo ahora está hecho por causa nuestra, ¿por qué no poseemos herencia con el mundo? ¿Hasta cuando durará esto?" (2 Esdras 6:57-59). Durante este período, sin embargo, el vidente, es decir, el que hacía pronunciamientos apocalípticos, hablaba en nombre de Dios. Hablaba de demonios y de ángeles, de la oscuridad y de la luz, del mal y del bien. Predecía los triunfos finales de la nación de Israel. Esta esperanza fluía como la corriente subterránea de la adoración judía.

Otro rasgo de la adoración que llegó a ser más prominente en este período fue el estudio de la ley. Esencialmente era un deber sacerdotal, en el que se concentraban los fariseos (hasidim). Estos produjeron muchas enseñanzas y doctrinas nuevas en el transcurso de este proceso; siendo la doctrina de la resurrección de los muertos una de las más notables.

La era del Nuevo Testamento

En el año 47 a.C., Julio César seleccionó a Herodes Antipater, un judío de Idumea (área que queda al sur de Judea), como gobernador de Judea. Su hijo, Herodes el Grande, heredó esta posición y se proclamó "rey de los judíos". Dándose cuenta del historial de descontento del pueblo judío, Herodes quiso ganarse de alguna

186 La vida diaria en los tiempos bíblicos

manera el favor y la fe de estos. Para lograrlo, anunció la construcción del tercer templo de Jerusalén. Sacerdotes especialmente entrenados en asuntos de construcción hicieron gran parte de la obra, con el fin de asegurarse de que el nuevo edificio siguiera el plano dejado por Moisés. La parte principal de la construcción se terminó en unos diez años (más o menos entre los años 20 y 10 a.C.), pero no se terminó en su totalidad hasta alrededor del año 60 d.C. (De hecho, algunos eruditos piensan que el nuevo templo no estaba aún terminado cuando Jerusalén cayó en manos del general romano Pompeyo, en 63 d.C.) La mayor parte de las actividades de adoración tenían lugar allí.

Sin embargo, durante las persecuciones y los exilios a que fue sometido Israel, muchos judíos se hallaban tan lejos de Jerusalén que no podían acudir allí. ¿Significaba esto que ellos no podían adorar en lo absoluto? ¡De ninguna manera! Más bien ellos instituyeron la costumbre del culto en la sinagoga local. Aunque el Antiguo Testamento sólo usa una vez la palabra *sinagoga* (Salmo 74:8), muchos de estos lugares informales de adoración ciertamente existieron durante el exilio. El nuevo Testamento menciona con frecuencia las sinagogas (por ejemplo, en Mateo 4:23; 23:6; Hechos 6:9), pero es poca la información descriptiva que nos ofrece de ellas. Por medio de las fuentes rabínicas sabemos algo acerca de las primeras sinagogas. También sabemos que la ley se estudiaba y se proclamaba allí: "Porque Moisés desde tiempos antiguos tiene en cada ciudad quien lo predique en las sinagogas, donde es leído cada día de reposo" (Hechos 15:21). En la adoración de la sinagoga se hacían muchas oraciones (Mateo 6:5). Fuentes no bíblicas nos dicen que los servicios de adoración en las sinagogas consistían de una oración de invocación, otras oraciones y bendiciones, la lectura de la ley de Moisés, la lectura de los profetas, y la bendición (Megillah 4:3). Sólo a ciertas personas se les permitía dirigir la adoración. Por tal razón se cuestionó el derecho que tenía Jesús para hacerlo (Marcos 6:2-4). Pablo enseñaba en las sinagogas, pero también tenía ciertas dificultades (Hechos 17:17; 26:11).

Rivalidad entre Gerizim y Jerusalén

"Le dijo la mujer: Señor, me parece que tú eres profeta. Nuestros padres adoraron en este monte, y vosotros decís que en Jerusalén es el lugar donde se debe adorar" (Juan 4:19, 20).

Estas palabras las dijo una mujer en un pozo que estaba al pie del monte Gerizim en Samaria, donde Jesús se detuvo a tomar agua. Ellas revelan un conflicto de largo tiempo entre judíos y samaritanos.

El monte Gerizim es la elevación del sur de un par de montañas, entre las cuales está el sitio de la antigua Siquem. La montaña del norte, que se llama Ebal, es la más alta. Este es un lugar estratégico, puesto que las rutas de viajeros convergen en un paso formado por estas montañas. Por esa razón se menciona con frecuencia al pueblo de Siquem en Génesis. En Ebal y Gerizim fue donde se reunieron las tribus bajo la dirección de Josué para oír las bendiciones y la maldición relacionadas con la observancia y la violación de la ley (Deuteronomio 11:29).

Los samaritanos sostenían que Siquem, la primera capital de Israel, era el lugar escogido por Dios como habitación para El. Los judíos sostenían que el lugar escogido era Jerusalén. ¿Cuál era la ciudad de Dios?

La ciudad de Samaria fue capturada por los asirios en 722 a.C., y llegó a ser una colonia militar. Las nuevas personas que llegaron se intercambiaron en matrimonio con los samaritanos y estos aceptaron la religión de aquellas.

El imperio persa cayó en 333 a.C., y los macedonios bajo la dirección de Alejando Magno avanzaron por la costa de Siria rumbo a Egipto. Entre las ciudades que se rindieron a los macedonios estuvo Jerusalén. En 332 se rebeló Samaria, y para castigarla, Alejandro envió allí colonos griegos.

Cuando se establecía una colonia griega, las aldeas de los pobladores allí nacidos que estaban bajo el dominio de los griegos, se aglutinaban en torno a un santuario de sus antepasados. Esto fue lo que ocurrió en Siquem. Los "sidonios (cananeos) de Siquem" estaban organizados según este estilo griego para servir al Dios de Israel. Ellos no aceptaban a los macedonios, ni querían depender de Jerusalén. Ellos les dijeron a los judíos: ". . . porque como vosotros buscamos a vuestro Dios. . . (Esdras 4:2); pero no se rendían ante las demandas judías de adorar en Jerusalén.

El pueblo de Siquem fundó un nuevo santuario. Estaba situado sobre la cumbre del Gerizim, y dominaba a Siquem; y estaba dedicado al Dios de Jerusalén y de Siquem.

La lucha principal entre los judíos y los samaritanos se debía a que querían saber cuál de los dos poseía el verdadero templo santo de Dios. Posteriormente, cada uno de los bandos inventó relatos para explicar los orígenes de la controversia con relación al templo samaritano. Los samaritanos sostenían que su templo había sido fundado por Alejandro Magno. Los judíos decían que había sido fundado por un hijo de la familia de un sumo sacerdote que fue expulsado del templo por Nehemías por haberse casado con una muchacha samaritana. Estas invenciones oscurecieron el origen real del cisma y confundieron la fecha en que se produjo, la que aún no se conoce con claridad.

Los judíos consideraron que los seguidores de Jesús constituían un partido dentro del judaísmo. Por tanto, se les permitió que adoraran en el día de reposo, junto con sus compañeros, en las sinagogas y en el templo.

Pero Jesús amaba el templo y lo respetaba. El lo apoyó al estimular a sus seguidores a que concurrieran allí. El declaró que el templo era sagrado (Mateo 23:16 y siguientes), y creyó que era digno de estar limpio (Mateo 21:12). Sin embargo, Jesús dijo: ". . . os digo que uno mayor que el templo está aquí" (Mateo 12:6). Con esas palabras se refería a Sí mismo. El denunció que habían convertido el templo en una "cueva de ladrones" (Mateo 21:3).

Los discípulos tenían al principio ideas conflictivas con respecto a la adoración en el templo y en la sinagoga. Con el correr del tiempo, sin embargo, los judíos y los cristianos se opusieron unos a otros de tal manera que no quedó sino la alternativa de adorar por separado. Este conflicto no surgió en torno a la forma de adoración o al local para adorar, sino en torno a la naturaleza de la misma adoración. Esto se refleja en la conversación de Jesús con la mujer samaritana en el pozo. Ella dijo: "Nuestros padres adoraron en este monte, y vosotros decís que en Jerusalén es el lugar donde se debe adorar." Claramente, ella pensaba en la adoración en función de rasgos externos, como el lugar. Jesús respondió: "Mujer, créeme, que la hora viene cuando ni en este monte ni en Jerusalén adoraréis al Padre . . . Mas la hora viene, y ahora es, cuando los verdaderos adoradores adorarán al Padre en espíritu y en verdad; porque también el Padre tales adoradores busca que le adoren" (Juan 4:21-23). Cristo y sus seguidores sabían que la salvación y la justicia no venían por medio de las ofrendas y los sacrificios, sino por la obediencia a Dios "en espíritu y en verdad". Cuando Dios actúa y nosotros reaccionamos por medio de la adoración, nuestra reacción visible no es tan importante como nuestra actitud invisible. (Tal vez la ofrenda de Abel fue aceptada por cuanto él no tenía odio en su corazón, mientras que la ofrenda de Caín no fue aceptada por causa del odio que él sentía hacia su hermano.)

Muro Occidental, Jerusalén. El sitio más santo del mundo judío es el lado occidental del muro que construyó Herodes el Grande para encerrar el área del templo hecho por él. Se llama el "muro de las lamentaciones" por dos razones: En primer lugar, los judíos se reúnen aquí para lamentar la pérdida de su templo. Además, la leyenda dice que las gotas de rocío que se forman en sus piedras son lágrimas de compasión que derrama el muro por los judíos exiliados.

No sabemos si Jesús y los apóstoles participaron en todos los ritos y las fiestas. El Nuevo Testamento no nos ofrece un informe completo acerca de sus actividades. Pero hay varios indicios que demuestran que los cristianos primitivos se reunían para adorar en hogares, en forma muy parecida a la manera en que se reunían los judíos en las sinagogas locales. Pablo se refiere a "la iglesia que está en tu casa" (Filemón 2); a "la iglesia de su casa" (Romanos 16:5); y a "la iglesia que está en su casa" (Colosenses 4:15). Más tarde, durante la severa persecución romana, los lugares de reunión fueron aun más humildes y secretos.

Indice de palabras

Este índice fue hecho con el propósito de que sirviera de guía en lo concerniente a nombres propios y otros tópicos de importancia contenidos en "La vida diaria en los tiempos bíblicos". Los números de página que aparecen en cursiva indican las páginas en que se encuentran las ilustraciones e intercalados de referencia. Los encabezamientos que están en cursiva son títulos de libro o de alguna otra importante obra de literatura. Usese este índice para conseguir información en cuanto a la relación que pueda existir entre varios asuntos.

enriquezca su vida

Por medio de la lectura de buenos libros usted puede adquirir instrucción, estímulo y entendimiento espiritual. ¡Que riqueza!... Editorial Vida se la quisiera proporcionar.

En las siguientes páginas se describen excelentes libros que hemos publicado para su inspiración.

con libros de

EDITORIAL
Vida

Un comentario que le muestra cómo poner en perspectiva cada libro de la Biblia

Un excelente auxiliar para el estudio de las Escrituras. Explica cómo fue escrita la Biblia y por qué. Lo introduce a usted en la Biblia e introduce la Biblia en usted. Esta excepcional obra es para todos los que quisieran conocer mejor su Biblia. Un compañero del estudio bíblico que ayudará a hacer que las Escrituras revivan para usted.

Un estudio bíblico que lo introduce a una nueva dimensión espiritual

El templo erigido por Moisés en el desierto es el más elocuente de todos los tipos rituales del Antiguo Pacto.

El autor presenta de manera sencilla y clara una obra con abundantes referencias acerca de las divisiones del tabernáculo, su rico y variado mobiliario, los materiales empleados en su construcción, las diferentes ofrendas, los sacrificios y otros aspectos del tabernáculo.

Vida

Abraão de Almeida
El Tabernáculo y la Iglesia

Un estudio bíblico que lo introduce a usted a una nueva dimensión espiritual

Vida

Un trasfondo para entender el Nuevo Testamento

Los acontecimientos del Nuevo Testamento fueron escenificados contra el trasfondo de la influencia de diversas culturas.

. . . los romances que gobernaron el mundo del Mediterráneo.

. . . los griegos, cuya filosofía demandaba respuestas lógicas a las preguntas de la vida.

. . . los judíos, quienes estaban divididos en partidos sectarios hostiles.

Los escritores del Nuevo Testamento se concentraron en la persona y obra de Jesús y en el esparcimiento de la Iglesia por medio de sus seguidores. "El mundo del Nuevo Testamento" discute el medio ambiente histórico, geográfico y político en el cual el cristianismo se desarrolló y creció.

REVELA LOS MISTERIOS DEL MUNDO ANTIGUO

El Antiguo Testamento describe un mundo al mismo tiempo igual y desigual a nuestro mundo actual. A medida que estudiamos sus personajes y acontecimientos, estamos mejor equipados para juzgar nuestra vida y sociedad, según las normas de la ley de Dios.

Este libro tiene los últimos conocimientos de los arqueólogos, historiadores, lingüistas y teológos para ayudar a descubrir algunos de los misterios del mundo antiguo. Proporciona detalles minuciosos de los acontecimientos de la historia de Israel y su significado a la luz de la revelación completa de sí mismo que Dios nos ofrece en la Biblia.